中国经济大萧条还有多远

刘军洛/著

中信出版社

CHINA CITIC PRESS

图书在版编目（CIP）数据

中国经济大萧条还有多远/刘军洛著. —北京：中信出版社，2011.9
ISBN 978-7-5086-2911-7

I. 中…　II. 刘…　III. 经济发展-研究-中国　IV. F124

中国版本图书馆 CIP 数据核字（2011）第 136241 号

中国经济大萧条还有多远
ZHONGGUO JINGJI DAXIAOTIAO HAIYOU DUOYUAN

著　　者：刘军洛
策划推广：中信出版社（China CITIC Press）
出版发行：中信出版集团股份有限公司（北京市朝阳区惠新东街甲 4 号富盛大厦 2 座　邮编　100029）
　　　　　（CITIC Publishing Group）

承 印 者：北京通州皇家印刷厂
开　　本：787mm×1092mm　1/16　　　印　　张：15.75　　字　　数：298千字
版　　次：2011 年 9 月第 1 版　　　　　印　　次：2011 年 9 月第 1 次印刷
书　　号：ISBN 978-7-5086-2911-7/F · 2385
定　　价：39.00 元

谨以此书献给上帝赋予人类的终生伙伴：猫、狗、小虫子与野生动物朋友们。

刘军洛

终 篇 ➤ **全球第三次大萧条在轰轰烈烈的抗通胀中爆发**

在世界运行的历史长河中，今天的世界是最繁华的全球化下的世界，今天的我们正在被全球化裹挟着，去共同历经由最繁华的全球化引发的一场最高控制——伟大的金融世界的最高控制。现在的世界金融是以全球化为舞台的金融世界。

金融世界的伟大之处在于它的创建力——破坏力——再创建力。占世界1/5人口的中国是这次全球化的主角，因为中国为这场全球化的壮观景象提供了可能提供的一切：为全球化提供了史无前例的数量最巨大、成本最廉价的劳动力资源；为全球化提供了国土上的一切自然资源，以及幸福安宁的道德资源、民族健康繁衍的生存资源；中国巨额的外汇储备为全球的金融资本提供了超级安全的增值保值和经济结构调整所需资金的保障；中国巨大的消费市场为全球化提供了企业发展、科技进步、专利实验的广阔空间和融资后盾。在人类发展的全球化的这个阶段，当中国的土地、劳动力和资金积累三大资源打包变成商品加入全球化后，全球化正破坏性地改变着我们国家的经济秩序，美国正意图运用金融世界话语权的力量，把我们的经济秩序变成它的快速提款机，成为其经济发展和经济转型的垫脚石。如果没有中国投入全球化，美国将只能在巧妇难为无米之炊的小舞台上缓慢前行。

这个全球化下的金融世界，将彻底分化人类世界的利益格局，彻底改变国与国之间及每个国家内部财富的再分配方式；人类将彻底摆脱传统的贸易和军事的财富再分配方式。并且，这种金融世界再分配方式爆发的席卷力，将是我们和我们的下一代所无法抗拒的必然爆破力。现在的我们，人人都是全球化整体中被吸附的分子，所以，我们需要理解和透视这场人类金融文明伟大的意义，以及这个包含着人类文化与人性的再控制的世界。

这本书是以一个中国人的立场和心情完成的，世界的规则永远就是那么几条以利益为核心的规则，在这几条利益规则指导下变换。把握住几个基本点，就可以万变不离其宗地应对一切，这个全球化下的金融世界也喂养不出世界的巨无霸。如果对手描绘的是一幅美景，我们要能看到其中长远的恶果；如果对手阻碍我们想做的事，我们一定要考虑一下背后的长远利益，并防备对手声东击西让我们上当。人类的发展是永恒的，没有不变的坐标，无论你喜不喜欢你身处的这个世界，它都在参与者行为所汇成的合力推动下做着不太称人心、如人意的运动。如果没有外力的作用，这个世界的运行可以像你想象的那样一直线性发展，但是这个世界的运行一定会受到外力和外力的合力所构成的复杂力量的作用。身在其中的人都以自己的认识水平作出判断，在全球化下这往往会造成失误，甚至是不可挽回的错误。

历经全球化的中国经济、环境、人性、农业、货币、黄金、美元、外汇、产业、高铁、基因、互联网，是将获得全方位的发展还是将被深度地破坏？"创新＋包容"是否代表着上帝的文化？

"中国思想"与"美国思想"的优胜劣汰

2010 年 12 月 6 日，美国总统奥巴马在北卡罗来纳州的一所社区大学发表演讲。值得注意的是，奥巴马在演讲中提到"中国"多达 10 次，并称美国正迎来新的"卫星时刻"。在这一以经济、教育、创新为主题的演讲中，奥巴马将中国取得的一系列"创新"成就比作苏联 1957 年发射的首枚人造卫星。他说："50 年之后，我们这一代人的'卫星时刻'又回来了。"

"卫星时刻"是指苏联发射人类首枚人造卫星后美国大受刺激，并掀起了里根式的美国科研热情和军备竞赛。在谈到美国经济恢复及未来经济走向时，奥巴马说："未来经济是全球经济，而美国还没有准备好。"奥巴马谈及此前的亚洲之行，并如此提到中国："当拥有超过 10 亿人口的中国融入全球经济时，这意味着全球竞争将更加激烈，赢得这场竞争的国家将是那些大多数工人受过教育、致力于科研，拥有诸如道路、机场和高速铁路、高速网络等高质量基础设施的国家。这些都是 21 世纪经济增长的'种子'，它们在哪里被播种，工作与商业就将在哪里生根。"奥巴马同时提到，在过去几年里，近 80% 的跨国公司都计划在中国或印度建立新的研发基地，因为当地重视数学与科学，此外还重视对劳动力的培训与教育。奥巴马还称，在未来的竞争之中，美国有落后的危险。他还特别指出中国拥有最快的铁路、超级计算机以及最大的太阳能研究基地。他说："你去中国，他们在去年一年修的高铁就超过了美国过去 30 年建设的高铁，中国最近开设了由美国公司承建的世界上最大的私人太阳能研发基地，当今的中国还拥有世界上最快的火车以及世界上最快的超级计算机。"

不过，奥巴马并不认为"卫星时刻"的到来完全是坏事。当年正是"卫星时刻"给美国敲响了警钟，促使美国在20世纪五六十年代为赶上苏联而加大对教育和科研的投资，最终，不仅超越并击垮了苏联，还使美国新的技术、产业和就业市场蓬勃发展。奥巴马就此呼吁，美国必须像当年那样加强对基础设施、科研创新和教育的投资。奥巴马还在演讲中力促两党为获取未来的胜利，将精力集中于一些必须做的事情上，通过美国的繁荣与创新来应对"卫星时刻"。奥巴马还谈到了中国持有的大量美国国债，称减少赤字将是政府的工作重点："从长期来说，如果我们持续向中国这些国家借钱，我们是无法与它们竞争的。"

奥巴马当天的演讲以一个华裔女孩乔紫薇的故事结束。乔紫薇年仅16岁，通过研发一套利用光学杀死癌细胞的装置获得了国际科学竞赛大奖。奥巴马回忆称，此前在白宫与乔紫薇的交流中，自己一边听着乔紫薇讲述科研故事，一边看着她身后悬挂的林肯肖像，他得到了这样的启发："美国思想还活着，还是好好的，我们终将好起来。"

> 今天最终的碰撞将发生在"美国思想"和"中国思想"的优胜劣汰上。

我无法用语言去评价奥巴马先生的"美国思想还活着，还是好好的，我们终将好起来"这句话。今天最终的碰撞将发生在"美国思想"和"中国思想"的优胜劣汰上。1957年，苏联的人造卫星上天，这是世界上第一颗人造卫星上天，标志着当时在美苏的军备竞赛中，苏联处于领先地位。在1960年的联合国大会上，赫鲁晓夫拿皮鞋敲着桌子高声宣布："苏联在20年内实现共产主义！"赫鲁晓夫的确是一个情绪很容易激动的人，不过这和当时苏联取得的成就是分不开的。苏联确实在科技、军事、福利方面取得了惊人的成就——从一个非常落后的农业国家，发展到经济规模接近美国经济规模80%的工业化国家。现在苏联已经不存在了，一切都过去了。问题是，苏联坠落的速度为什么和天上划过的流星一样？从经济结构上看苏联，原来苏联的经济奇迹完全是依靠高投入的"大量劳动力+大量资源"所维持的跑步跃进冲刺模式，并不是劳动生产率能持续增长的生命模式。当时，苏联经济在飞速赶超中，劳动力供给达到极限后出现结构性停滞，再加上美国的高强度军备竞赛，苏联焚林而田下的壮观经济体力不从心地自然爆发了结构性大崩盘。

1981 年，里根总统发动了一场供应学派革命，他为这场美国经济革命列出了如下目标：大规模减税，大规模减少政府职能和规模，大规模科技投入，同时依靠强势美元进行通货膨胀结构性调整。对于当时这场美国的供应学派革命，苏联核心层一致认为美国正在走向大崩盘。苏联核心层的理论依据是：里根政府严重的财政赤字的出现和美国对计算机技术过度的资本投入，是美国核心层大脑出问题干的蠢事，只要苏联继续大量在坦克和大炮上投入，美国就会在这场军备竞赛中失败。资本和资源是有限的，苏联在和美国的竞争中仍以第二次世界大战时的思维模式发展经济。后来的结果是，美国经济的通货膨胀得到了有效控制，确保了美国私营部门的强劲增长；而苏联经济在因美国而被迫高速运行中，通货膨胀失控，引发经济、货币和社会的同步大崩盘，在高投入中轰然倒下。正如里根当选美国总统时的口号——强大的美国，今天奥巴马的口号的含义也是——强大的美国。

开启"大脑时代"

这个世界经历过亚历山大的马其顿方阵的强大，拿破仑火炮密集使用的强大，随后看到了日本军国主义惨败在强大的美国原子弹面前。

1989 年是人类发展中"大脑时代"胜利开启的时点。这一年，强大的苏联分崩成了 15 份；这一年，强大的"经济恐龙"日本经济体转身走上了长期大衰退的漫漫熊途；这一年，同样也是美国的经济转型期，美国站在了历史上最辉煌的经济增长周期的起跑线上；这一年，世界经济打响了双向而驰的发令枪，美国经济体向前冲，完成了一个新的"大脑时代"经济周期，其他经济体在旧经济体模式下的非理性扩张中崩溃或衰退。

20 世纪 80 年代的计算机技术乘数效应积累到 90 年代，成长为美国经济"大脑时代"中流砥柱的力量。用传统经济学的衡量标准去评估 90 年代的日本经济，那么日本怎么看都是领先的——日本在汽车、造船、钢铁、车床、大型设备，甚至烟草业的劳动生产率都要超过美国 10%~15%；而美国只有两个领域的劳动生产率远超过日本，这两个领域是科技和金融。1989~2000 年，美国股市上涨了 500%，同样这段时间，日本股市和楼市则下跌了 50%~60%。世界见证了新经济的辉煌和固守传统经济的衰败，见证了人类发展"大脑"的必胜性。

> 世界见证了新经济的辉煌和固守传统经济的衰败，见证了人类发展"大脑"的必胜性。

现在来看，日本经济的今天以及明天，都将处于长期衰败的历程中，因为日本处于四面环海的小岛，日本人的思维模式是海中小岛的原地踏步的边界思维模式，永远只会抱着传统的经济理论运行，所以，在今天比智商的"大脑时代"中，日本只能长期衰败。

同样，2010 年 12 月 7 日，德国 DAX30 指数上涨了 0.7%，报收 7 001.97 点。这是该指数自 2008 年 6 月以来首次突破 7 000 点大关。德国股市为什么会在欧洲频繁的债务危机中，成功站上 2008 年世界大萧条爆发前的位置，离 2007 年的 8 131.73 点历史最高位相差不远了呢？为什么德国的核心资本敢于在频繁的欧洲债务危机中，大规模去配置德国股票呢？我们必须用金融世界的语言来解答，并且金融世界的语言只会有一种解答，那就是德国的核心层准备用不超过 3

年时间退出欧元区。欧元是诞生于一个非常简单的经济逻辑错误设计下的货币。以 2008 年危机最严重的冰岛经济为例，冰岛政府在两年前决定强迫债券持有人承担银行系统崩溃的相关成本，这样冰岛纳税人最终所面临的债务负担相对较轻。冰岛 2010 财政赤字在该国 GDP（国内生产总值）总额中所占比例为 6.3%，到 2012 年则将变为零。同时，2008 年 9 月份以来，冰岛克朗兑美元汇率已经下跌了 35%，这种跌势非常有助于冰岛以较快的速度恢复本国经济的结构性平衡。

欧元区的爱尔兰政府 2008 年对本国金融体系提供担保的举措，在 2010 年带来了事与愿违的结果，原因是许多银行都正面临着失去还债能力的困境。根据欧盟委员会的预测，爱尔兰财政赤字在 GDP 总额中所占比例将会达到 32%。更糟糕的是，爱尔兰政府无法通过货币贬值的方式来获得经济的结构性调整。爱尔兰经济 2010 年的失业率维持在 13.6%的较高水平，2011 年仍将如此。在欧元区各国中，关于谁应承担银行倒闭的成本问题，正在演变成一个"烫手"的问题。《高等的文化控制》一书比较详细地说明了欧元区的结构性问题。现在，欧元区的结构性问题开始全面爆发，德国的核心层非常明白，最终德国是不会去承担意大利、爱尔兰、西班牙、匈牙利、希腊的结构性债务问题的。这样，在金融世界的配置中，一个简单的常识将呈现在我们面前——欧元未来将大暴跌，因为中国央行将来可能大量平仓欧元亏损盘。正如 2005 年中国国储局在海外铜交易市场以每吨 3 000 美元，大量抛售铜合约，结果被海外对冲基金视为上帝赐予的大猎物，一哄而上全力围剿一样。中国国储局最终被迫强行平仓大量铜的空头合约，在这个过程中，世界铜价被中国国储局迅速推高到每吨 8 790 美元，足足上涨了近 200%，只用了一年时间，创造出铜历史上最短时间的最高价格纪录。

现在，中国央行在 2010 年大规模的中国官方外汇储备的多元化行动中，官方外汇储备中的欧元储备已经不低于 6 000 亿或 8 000 亿美元，成本大概为 1.30

> 用金融世界的语言看世界，才会明白真正的世界游戏规则。

欧元，当世界预期到中国央行要平仓 6 000 亿美元以上的欧元亏损盘时，我们将见证远比 2006 年铜大暴涨更加疯狂的欧元大暴跌。这就是德国股市为什么会在欧洲债务危机频繁爆发中，走出如此强劲的走势的原因。用金融世界的语言看世界，才会明白真正的世界游戏规则。

2010 年 12 月，欧元区危机继续大规模蔓延，欧元集团主席、卢森堡首相容克建议采用欧元区国家的共同债券（即所谓的欧元债券），来防止欧洲今后再次发生金融危机。这一建议立刻遭到德国总理默克尔和德国财政部长朔伊布勒的拒绝。德国担心，发行欧元债券意味着自己要替信用较差的成员国分担风险，有损自己的信用评级。对于德国的立场，欧元集团主席、卢森堡首相容克表示，没有认真研究就加以拒绝，表明德国政府是以"一种非欧洲的方式在处理欧洲事务"，思维"有点简单化"。容克还说，这种在欧洲建立禁区和不考虑别人想法的做法令他感到非常吃惊。德国政府发言人对此回应说，建立欧元区共同债券的建议"不是新东西"，德国政府已认真研究过，"德国政府会继续拒绝这一建议"。这位发言人还重申了默克尔的立场，表示现在采用欧元债券既存在经济上的问题，同时也存在法律上的问题。如果采用统一利率，那么欧元区成员国遵守财政纪律的刺激作用将会消失。世界的文明最终都是有国家性的，中国 6 000 亿美元以上的欧元货币储备是违背世界文明的最终原则的。如果这种情况出现，德国股市就会一飞冲天，因为德国经济的高效率劳动生产率、优秀的中小企业结构、两德统一成本消化包括偏好储蓄的生活方式，将是全球化经济中非常具有竞争机制的体系。

德国经济的结构性问题是，德国银行已向欧元债务危机国希腊、爱尔兰、葡萄牙和西班牙发放了超过 5 000 亿美元的贷款。根据国际清算银行数据显示，以上四国共向德国银行借贷了 5 127 亿美元，折合 3 884 亿欧元。德国因此成为国际上给予这些国家最多贷款的国家。其中借贷最多的为西班牙，达到 2 166 亿美元；爱尔兰为 1 860 亿美元。在世界范围内，希腊、爱尔兰、葡萄牙和西班牙共借贷 2.2 万亿美元。由于西班牙经济前景黯淡，房地产业恶化状况超出预期，导致银行盈利和融资能力不足，预计西班牙银行业在未来 12~18 个月内的贷款损失将由 2009 年预期的 1 080 亿欧元上调 63%，至 1 760 亿欧元。该国银行系统可能面临的净资产短缺约为 170 亿欧元，假如最坏的情况发生，其银行系统总体贷款损失最高可能升至 3 060 亿欧元。在过去 3 年中，西班牙 GDP 总量下滑 4.9%，失业率高居 19.8%。西班牙将面临宏观经济环境困难、资产质量持续恶化的局面，而且政府财政紧缩政策将给银行业的盈利能力、资本化及从市场中获得融资的能力造成负面影响。欧洲地区的经济结构性问题，就像一个癌症晚期患者，需要不停地投入，最终欧洲财政无法消化私人银行部门的坏账时，唯一的解决方法就是欧元货币解体而成为〝小欧元〞。

被视角影响的外汇储备战略

我们知道，在 2008 年世界性大萧条中，走在美国次级债大崩盘风暴最中心的美国财政部长保尔森先生是美国高盛公司前董事长兼首席执行官。20 世纪 90 年代，在美国经济最繁荣的网络科技时代，时任美国财政部长的鲁宾先生曾从事律师工作，后也进入美国高盛公司，并且从底层干到高盛董事长。美国的核心层金融实战和世界视角极其强悍，而中国技术官员几乎都是学院理论思维，严重缺乏金融实战和世界视角，对于中美金融战的结果会有相当大的影响。

如果用索罗斯的金融理论——人们对于被考虑的对象，总是无法摆脱自己观点的束缚——来看，人们的思维往往长期处于结构性"短视"中。我认为，长期以来，中国央行在海外的全球投资中屡战屡败，是因为中国央行思维长期处于结构性"短视"中的结果。比如，美国两房债券4 000亿美元的问题，这个问题说明中国央行在全球追捧美国次级债中，其判断能力和全球小型投资者没有区别。更不可思议的是，在2007年美国大量金融公司破产前，中国中投公司以最高价格疯狂买入大量美国金融公司。大家都知道，2003~2007年，美国金融公司杠杆从20倍极速上升到35倍，这就好比2003年一家美国金融公司负债100亿美元经营，到2007年这家美国金融公司负债2 000亿美元经营，这时，中国中投公司却认为这家美国金融公司负债经营能力应该在5 000亿美元或1万亿美元，所以，中国中投公司2007年以最高价格疯狂买入大量美国金融公司。

现在，中国央行开始了最大的闹剧——疯狂地大规模购买欧元。首先，大家应该知道欧元是个设计有问题的货币。其次，如果中国某个地区财政出现问题，那最终要由中国财政部来掏钱出面解决，这是非常正常的事情；而如果，西班牙或希腊财政出现问题，最终让德国和法国掏钱来出面解决是不可能的。正常情况下，欧元最终会在全球消失，而中国央行现在拼命抢购几千亿欧元，那倒霉的将是13亿中国人。这就是人无远虑，必有近忧。

中国央行和美国央行理解经济和金融问题截然不同，活生生的例子就是，2010年本人通过出书和媒体呼吁，中国必须面对美元即将来临的长期大幅上升，应该100%将中国官方外汇储备全部用美元短期国债储备，而2010年中国央行却全力将"中国官方外汇储备多元化"，大幅增加非美元货币储备，现在，中国央行手上有1.4万亿非美元货币储备。

美国联邦基金委员会有一个重要宗旨——银行应该坚决杜绝把一切经济活动的判断建立在目前经济环境下一成不变的"线性思维"之上。因为人性的集体性思维大部分时间，也就是 99.9% 的时间，认为市场的所有风险都是可以同时规避的。当 0.1% 的时间人类处于集体性同步思维思考风险问题时，世界经济就会爆发大萧条。自 2008 年世界经济大萧条以来，全球政府以世界经济新增加负债 20 万亿美元为解决方式。但是，当市场最终回到"市场价格"时，这新增加的背负 20 万亿美元负债中的大部分负债者将破产，那将是"第三次世界性大萧条"。

现在，中国 2.8 万亿美元外汇储备分配如下——1.2 万亿是美元（其中有 4 000 亿美元是美国"两房债券"），2 000 亿由中投公司投资，1.4 万亿是非美元货币。

让我们演习一下，如果美元出现大幅上涨，中国官方外汇储备的情况会怎样。

美元出现大幅上涨后，中国 1.4 万亿非美元货币出现 40% 亏损；1.2 万亿美元中 4 000 亿美元的美国"两房债券"是市场无法兑现的，也就是说，中国央行手上届时只有 8 000 千亿美元的流动性。届时，再扣除 5 000 亿美元短期负债，美元大幅上升后，中国中央银行手上将只有 3 000 亿美元的流动性。或许，届时 1.4 万亿非美元货币可以认赔 40% 平仓。可是，在全球市场处于做多美元的市场中，即使中国中央银行想要认赔平仓，可这么大的止损盘谁接手？届时可能得以亏损 70% 或亏损 80% 去平仓。美国金融部门和美国跨国公司现在手上储备了高达 3 万亿美元现金，这是史无前例的规模。而美国史无前例的美元现金规模，和中国央行手上新增加的史无前例的非美元货币储备规模，是截然不同的思维的结果。

2001 年，石油每桶 25 美元，黄金每盎司 250 美元，美元指数 120 时，本人曾呼吁中国应该用全力购买石油、黄金、铜、农田、森林、水资源和铁矿等作为官方外汇储备，应该全力减少美元储备。2010 年，全球化的高速运行开始出现结构性债务依赖。2001~2006 年，全球经济依靠的是美国人的负债；2009~2010 年，全球经济依靠的是中国人"抢购房地产"的歇斯底里精神。2011 年 4 月，中国的消费者价格指数开始突破 5%，随着市场力量的出现，人为推动全球进一步增加负债的可能性也将为"零"。在全球经济史无前例的债务规模的当前，当发现全球再没有一个国家会像 2009~2010 年的中国人那样疯狂负债，来承担世界经济责任时，持有美元，等待届时满大街的破产者，是美国现在必然的选择。

|上　部| **中国通胀：商人逐利文化毁灭实体经济**

全球化下的帝国渗透

全球化下的帝国不仅仅是占很大的领地、控制了很多民族的国家，它遵循锥子必然穿透布袋，强者必然为王的法则。在"全球化+互联网"下，人类生活的任何领域都是一片角逐的新大陆，经过一段时间的交手切磋、战略调整，各个领域的统治者和被统治者会各居其位。帝国天生的特征就是以占有和扩展为存在目的，成长中的帝国的日常工作就是如何运用客观环境中的一切壮大自己，这是帝国的乐趣。任何生命体和非生命体都存在着帝国气质，而内在大脑的基因决定谁是帝国的主人，谁是帝国备用的砖头瓦片。互联网下的全球化完全是头脑对头脑的绝对"头脑时代"。帝国有能力在某个领域发掘、开拓、占领，有智商制定游戏规则，按自己完成总战略和阶段战略的需求制定并落实有助于自己利益最大化的"规则"。

任何领域中任何时代的帝国的存在都是以智商和目的为基础的，生命体的存在都以头脑为根本，对一个民族头脑的占领是不战而屈人之兵的捷径。全球化就是全球的一切有形或无形的资料被重新分配以及易主的过程。一个帝国的扩张需要有可被扩张的资源，它会根据资源的情况来设计战略，达到帝国文化的最大化。

资金有了目标就有了生命，生命体相同的本能是要无限扩展的基因，这种本能是生命体生存和繁衍的基础。对于有思想的人类，尤其是掌握着民族命运的人来说，下意识地把满足个体本能需求当做维护安全时，往往会鼠目寸光。下意识地维护既得利益，在没有远虑中自我膨胀，在盲目自大中自鸣得意，对于普通大众来说是致命的危机。

全球化对于有大脑的国家是统一全世界的有天时、有地利、有人和的时刻。扩张就要有机体生命力的彰显，经济发展一定要把握的一个原则就是生命力，在人类不断的科技进步下一些产业注定是会被淘汰的，如果仅这些事物处于上升期，就会被暂时的繁华一叶障目，最后难免衰败。

中国的消费膨胀是下端的供应基础不断出现问题而暂时挪移到上端，造成的消费不断膨胀。基础消失的倒金字塔形，是严重的畸形经济体制，达到一定的反常比例，倒金字塔会轰然倒下，成为废墟。罗马不是一天建成的，倒金字塔也一样。上端无论怎么膨胀也不能挽救不断出现问题的下端。供应和消费如果是正金字塔形则是正常健康的，否则上端越是膨胀得快，下端越是消失得快，倒金字塔建成得也越快。

用中国式的因果逻辑思维是看不到经济真相的，尽管最后的产物依托于一个符合逻辑的结构，但这个结构可能会因为我们的视而不见，而让我们承受自酿的苦果。

第一章

被大举入侵的农业

大豆帝国与转基因种子的牺牲品

中国农业进口花卉、蔬菜、粮食等外国种子，不仅种子专利费昂贵，与外国种子相配套的杀虫剂、除草剂、化肥、配套的外国种植技术等也费用不菲，而最可怕的，是外国转基因种子的无障碍进入。

广东陈村是中国花卉种植和生长的天堂，中国的花卉在陈村世代繁衍的历史已有2 000多年了，但2000年《中华人民共和国种子法》（简称《种子法》）颁布以来，中国陈村再没有出现过中国知识产权的国产花卉。陈村这个国内最大规模的花市，10多年来每年热卖的竟是蝴蝶兰、大花蕙兰、凤梨、红掌等外国鲜花；而中国的牡丹、月季、芍药等十大国花却几乎已经告别我们的视线。

当地还在种花的花农种的全是外国花种，花农感慨地说："老外有专利，年年换新种，你就得年年买，仅种子一项就占去了利润的近70%，还不算配套的外国肥料、杀虫剂和技术培训费。我们是在为人家打工啊！没法子，谁叫我们没技术，人家的种子就是好，种出来的花又大又漂亮，还飘出阵阵清香。"

广东已由中国著名的花卉生产基地，转变为重要外国花卉产品贸易集散地，花卉产业的快速发展催生了数量庞大的花卉经营企业，仅在广东顺德地区就有上千家花卉企业。陈村花农大部分摇身一变成为外国花卉的代理商、花卉市场的投机客。有人代理德国泥炭土，有人代理美国种子，有人代理荷兰种苗……不少企业只是一门心思做代理商，并不打算发展拥有自己知识产权的产品。他们不再关注生产，只是热衷于花卉贸易。在陈村花卉世界的600家企业里，5万多花农中有大专以上学历的不到1%，且很多是从其他领域转行来的。中国的花卉业每年以20%的速度增长，总销售额近百亿元，出口额上亿美元。在这巨大的销售额背后，99%的市场份额是外国的花卉。

大豆种植在中国伴随华夏子孙走过了5 000年的历史，而我们这个时代的商人文化正在埋葬大豆种子。欧美各国开始引进大豆不过百年，到普及世界各国不过几十年。大豆已成为东亚国家不可少的食品。为解决发展中国家蛋白质摄入不足的难题，联合国粮农组织大力发展大豆食品。中国的大豆走出国门，正在为全世界提供着优质的植物蛋白。中国的大豆是世界的大豆，是为世界提供绿色环保蛋白质的活化石。

现在中国少量种植的中国种大豆是应国际市场的强烈要求而保留的。5年前，到中国进口大豆蛋白粉的只有十几个国家，现在已有50多个国家来中国进口大豆蛋白粉。我国大豆蛋白食品在欧美市场上正以10%的速度攀升。中国非转基因大豆是稀缺资源，然而在全世界都认识到中国大豆的珍贵价值的同时，中国为什么还要坚持种植外国的转基因大豆？黑龙江拥有6 700多份野生大豆种子资源，但施行《种子法》以来，中国优质大豆种子资源正在消亡。

我们有任何转基因技术不能复制的中国大豆种子，为何还要人为发展转基因大豆？在联合国的倡导下，在世界范围内为中国培育了大豆的市场文化。然而中国却大量进口转基因大豆，使非转基因大豆种植面积进一步减少。

美国向中国推销他们的麦当劳快餐文化，我们为什么不能推销我们的中药瑰宝？美国向我们推销转基因技术，同时美国又只食用中国的非转基因大豆，我们为什么不进一步培育美国的中国大豆市场？当抱怨没有技术专利，抱怨失去的大豆产业链时，我们却忘记回头看中国对大豆的绝对专利权，中国的大豆是再高的转基因技术都不能模仿的种子。现有研究表明，转基因作物将破坏自然生态系统，对非目标生物尤其是有益生物产生危害，降低生物多样性和食物多样性，另外还会导致"超级杂草"。转基因这种新兴的生物技术，正等着我们交出对生命结构改变后产生的连锁反应实验报告。

我国第一部《种子法》2000年12月1日正式实施。《种子法》里规定销售进口种子要贴上中文标签。卖转基因植物种子要用明显的中国字标注，提示使用时的安全控制措施，但安全不安全恐怕要等中国人吃过才知道。《种子法》第五十一条规定进口商品种子的质量应当达到国家标准或者行业标准。没有国家标准或者行业标准的，可以按照合同约定的标准执行。这条法律为跨国公司打开了转基因种子贸易的大门。

2008年7月9日，中国投入200多亿元资金，启动"转基因生物新品种培育"科技重大专项。2009年10月，中国农业部批准了两种转基因水稻和一种转基因玉米的安全证书，中国由此成为世界上首个批准主粮转基因种植的国家。任何人工培育的转基因种子都可能不具备长期的遗传性。这种危害是绝种绝收的生死攸关的问题。

1983年，里根执政下的美国政府开始资助一些私人研究项目，对现在中国百姓来说关系重大的是，里根帮助美国基因种子巨头建立全球性粮食垄断。这是美国政府参与私营企业事务的一项战略性决策。

　　这个世界不能阻止谁去开发转基因，这个世界也没谁能强迫你因为种子而受制于人，决定权在于自己。孟德尔研究发现基因的分离定律和自由组合定律没有错，可以利用高产的转基因大豆发展环保的生物柴油。中国几千年前发明火药也没有错，那本来不是为八国联军服务的。

　　自2000年《种子法》颁布之后，中国种业也开始了全球化下的市场化进程。敞开了的中国种子市场涌入大量跨国种子公司。自2000年国外种子企业陆续进入中国市场以来，在经营蔬菜、花卉等小作物成功后，立刻向玉米、水稻等大田作物进军。在敞开的种子领域历时10年的"发育"，外国公司已经控制了中国市场70%以上的种子来源，而且还在继续向剩下的不到30%的市场推进。玉米在中国具有非常重要的战略地位，中国每年种植玉米的面积达4亿亩左右，和美国差不多。世界种业巨头——先锋、先正达、利马格兰、孟山都等都先后进入中国玉米种子市场。美国种子在中国迅速普及，不是因为中国的种子不好，而是意识问题。

　　如果我国种业市场全部用外国种子，给我国粮食安全带来的将是毁灭性后果。如果中国规模化蔬菜生产基地一粒中国种子都没有了，就连中国的葵花籽也将彻底消失，那么我们在食品方面将全面成为"孟德尔小白鼠"。

> 如果我国种业市场全部用外国种子，给我国粮食安全带来的将是毁灭性后果。

　　美国人食用的油以橄榄油为主。和大豆在中国有几千年历史一样，橄榄油在地中海沿岸国家也有几千年的历史，是一种很好的天然保健的食用油。目前，中国市场消费的大豆油80%由美国基因公司制造，美国基因公司在中国几乎处于垄断地位。美国的基因食物是否有利于人类健康？这个问题只有美国基因公司清楚，或者经过人体试验后才知道。现在，美国基因产品全部是粮食作物，中国人吃的转基因粮食占粮食总消费的 50%，而美国只有 10%。也就是说，目前美国的基因公司，每天通过至少是美国人 5 倍的基因用量在把中国人当试验品。

美国种子必须配美国化肥、美国农药、美国除草剂，中国的化肥、农药、除草剂对美国种子无效，而这些都要付专利费和技术费。绝对的定价权掌握在美国手里，要付高昂的费用是必然的。更重要的是，美国种子不是单纯的种子，已经具备了外汇调控的功能，按照美国战略的总需求定价，全面控制中国的农业种植市场，这成为美国对中国全面战略布局中的又一个成熟的"调控把柄"。

> 经济可以是有极限量的气球，也可以是无极限量的膨胀的宇宙，这取决于经济政策是否制造通货膨胀。

经济可以是有极限量的气球，也可以是无极限量的膨胀的宇宙，这取决于经济政策是否制造通货膨胀。如果经济政策在制造不断充气的气球，在气球没有达到极限膨胀量时，无论你怎样挤压、扭曲，这个气球都会做相应的变形，而且还是一个完整的气球，当气球膨胀到极限时（也就是通货膨胀失控时），就会炸得粉碎。如果经济政策在制造一个不断膨胀的宇宙，也就是对恶性通货膨胀的防范和管理到位的最佳境界，这时经济可以像宇宙一样没什么大起大落地、匀速不断地慢慢膨胀，这个经济体可以永远在不急不躁中壮大。经济发展不怕慢，就怕爆，正如爱因斯坦说的，复利的累加是无穷尽的第八奇迹。印度强有力的发展会大量抢占中国粮食进口份额，中国的种子产业输给美国，就是中国农业输给美国。而中国农田让位给房地产经济，卖地的钱让中国人生活水平提高，在食品结构上肉类的消费水平提高，又会加大动物饲料的粮食投入。粮食产业完全输给美国后，中国的粮食产业就成了制造中国通货膨胀的根源。2011 年美国打算生产生物柴油 8 亿加仑（生物柴油是大豆生产的），2011 年美国生物乙醇产量将达到 139.5 亿加仑（生物乙醇是玉米生产的），这都是创纪录的产能。

中国在农业方面的问题以及其他方面累积的问题将达到峰值，这就是人为的伪通胀。中国 2010 年全年大豆进口量增长 29%。2011 年中国对大豆的整体消费量进一步加大，为增加粮食产量，将大豆种植面积的 8% 用于生产粮食。国内外大豆市场价格倒挂越来越严重，一些企业的海外大豆订单不再运回国内加工食用油，而是将大豆在当地直接卖掉。在 2007 年以前，中国每年大概还有 40 多万亩耕地种植大豆，而过去的三四年间，随着玉米种植效益的提高，大豆田已逐步转成玉米田。2011 年黑龙江省集贤县大豆种植面积绝迹。除了黑龙江最北部地区由于气候原因只能种植大豆以外，在南部凡是气候条件可以种植玉米的地区，老百姓基本上都选择种植玉米。2010 年黑龙江省大豆种植面积为 6 800 多万亩，2011 年可能只有 5 440 万亩左右，减少幅度为 20%。农户手中还留有 2011 年大豆余粮，而市场转基因大豆价格每斤仅为 1.85~1.91 元，2011 年已经无法增加大豆种植面积。

中国种植面积不断被削减的大豆深合外国人心意。中国的大豆蛋白出口在国际贸易中占 50% 的份额。在国际市场上，美国有 2 500 多种食品要添加大豆蛋白，日本每年消耗大豆蛋白 60 多万吨。几乎所有的外商都要求食用蛋白粉必须以非转基因大豆做原料。日本、美国的进口商在中国的田间地头、工厂仓库监督着，防止有他们的转基因大豆混入。中国在自己的非转基因大豆的国内外需求不断膨胀的时候，却在忙着土地开发，浪费土地资源。

大豆是中国农产品市场最早开放进口转基因产品的品种，转基因大豆出油率高、价格低，中国专家纷纷提议放弃国产大豆种植，把节约下的土地资源和人力成本用于发展制造业和房地产业。因此，中国农民种植本土大豆的需求受到短期利益的打压。作为转基因大豆最大的出口国美国，其本土没有食用大豆的习惯。世界最大的大豆贸易和加工公司——美国嘉吉公司，从中国进口非转基因大豆；美国出口到中国的"纽崔莱"产品，用的也是进口自中国的非转基因大豆。

农民种一亩大豆比种一亩水稻、玉米、红豆少赚一半钱。在中国种大豆赚钱是最少的。美国转基因大豆进口的不断推进，又赶上这三年物价高涨，使中国大豆种植成本也高涨，然而大豆卖价却没提高，而种转基因玉米产量又高又可以卖个好价，因此农户被迫少种大豆。2011 年，中国政府要求减少大豆种植面积以保证粮食供应。不断减少的种植面积和产量，使中国非转基因大豆蛋白加工很快将面临没原料可加工的局面，不能再满足日益高企的国际需求。近 10 年来，在中国大豆产量连年递减的情况下，世界大豆总产量平均递增 4%，递增部分是转基因大豆和饲料。

当前中国大豆蛋白食品正风靡全球，中国大豆蛋白产品加工企业的利润率有 27% 左右。于是国内企业开始疯狂投资大豆蛋白粉项目，和全国上下投资光伏企业一样火暴。令人匪夷所思的是，国内大豆蛋白出口企业之间又开始了互相杀价的恶性窝里斗，导致国产非转基因大豆蛋白粉出口价已经下降到每吨 2 万元，而进口转基因大豆的价格是每吨 3 万~5 万元。照这样下去，刚刚兴起的国产大豆蛋白加工业，也将步大豆油脂加工的后尘全部输给美国。如果大豆这个中国占尽优势的产业也毁灭了，那中国经济就将是一个"气球经济"。大家在疯狂分享宽松货币政策下的产能过剩的利益时，面对的是随时可能出现的经济大萧条下的倒闭潮。

大家在疯狂分享宽松货币政策下的产能过剩的利益时，面对的是随时可能出现的经济大萧条下的倒闭潮。

高价进口大豆，低价卖豆油，中国的食用大豆油存在很多问题。使用进口转基因大豆的食用油生产企业，现在进口大豆加工食用油，中国 500 强企业的北京汇福粮油集团食用油压榨机就在这种情况下停止了轰鸣。目前国内的食用油价格已经在倒挂，企业生产一吨油就会赔几百块钱。汇福粮油集团赔不起，没有政府的补贴只能停产。别的食用油生产企业就能支撑吗？2008 年时全国

400多个品牌的食用油厂家如今大部分停产，超市里食用油货架大部分缺货，食用油一旦上架立即会被抢购一空。2008年食用油价格大幅上涨时，国家临时价格干预是可行的。可2011年全球经济的变化已使情况恶化，再干预会导致干预后的问题，然而不干预也有不干预的问题，这成了一个解决不了的问题。

2010年12月初，发改委"约谈"中粮集团、益海嘉里、中纺集团和九三粮油四大企业，要求4个月内不得涨价。2011年4月13日，发改委继续要求未来两个月内食用油不得涨价。调控效果明显，国内食用油零售企业2月份零售额环比下降19.3%。

如图1所示，印度对棕榈油及植物油进口量在增加，印度的经济在快速增长，对此，中国对中国大豆油保证供应的未来应该有一个提前布局。2008年3月16日，行业期刊《油世界》称，2007~2008年度，印度棕榈油进口量为430万吨，高于2006~2007年度的370万吨以及2005~2006年度的280万吨。2010年1月18日，印度炼油协会的数据显示，印度2009年棕榈油进口量总计700万吨，已超过中国。印度炼油协会主席称，印度2010年植物油进口量达创纪录的940万吨，因为进口关税政策降低了成本，该国油籽减产。棕榈油进口增加进一步提振价格上涨。2009年棕榈油价格大涨了57%。2010年10月到2011年9月，印度棕榈油进口仍有望增长，达到680万吨，高于上个年度的进口量660万吨，低于2008~2009年度的进口量690万吨。2010~2011年度印度食用油进口量可能为840万~850万吨，相比之下，2009年为880万吨；而非食用油进口量可能为35万吨，低于2009年的42万吨。

棕榈油本来是不适合人类食用的，但棕榈油的价格比大豆油低廉，目前，印度80%的食用油消费的是棕榈油，如果人口大国印度经济发展了，人们的消费能力提高了，食用高蛋白的豆油是必然结果。印度在经济发展上有着巨大的潜力。首先印度是世界独一无二的年轻人口第一大国。印度12亿人中一半多是

25 岁以下的。印度经济增长 70% 依靠个人消费，中国经济现在只有 35% 依靠个人消费。可以预期，随着印度消费能力的提高，印度的植物油消费习惯必定会大规模从棕榈油转向健康的豆油。在整体经济发展中，要看到印度的发展，而棕榈油和植物油进口的微小变化就是信号，对于这个信号，我们要未雨绸缪，防止印度购买力增长可能带来的问题。

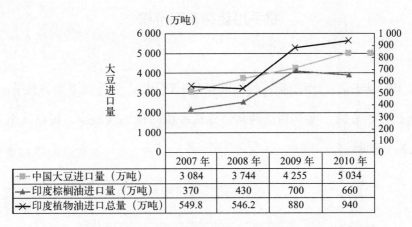

（万吨）	2007 年	2008 年	2009 年	2010 年
中国大豆进口量（万吨）	3 084	3 744	4 255	5 034
印度棕榈油进口量（万吨）	370	430	700	660
印度植物油进口总量（万吨）	549.8	546.2	880	940

图 1　2007~2010 中国大豆进口量及印度棕榈油、植物油进口量

2009 年印度进口棕榈油 700 万吨，比 2008 年暴增 57%。印度人均植物油消费只有现在中国的 1/5。如此低的消费基数，加上印度人均收入的增加，如果未来 5 年印度的植物油消费人均增加一个百分点，加起来对全球来说就是很大的增长。印度植物油需求年均增长量保守约为 58 万吨。如果将此折算成耕地，至少需要 110 万公顷耕地，约占全球大豆播种面积的 1.2%。未来 5 年，在单产不变的情况下，全球需要拿出至少 500 万公顷耕地面积，约占全球大豆播种面积的 5%，才能满足印度的植物油消费。全球炭货币地位已确立，巴西不再砍伐雨林增加大豆种植面积。过去 10 年，地球上种植大豆面积唯一的增长就是对南美洲的亚马孙雨林进行砍伐得来的。如今全球炭货币地位已确立，巴西不再砍伐雨林增加大豆种植面积。中国要解决目前的大豆供应，需要增加 2.5 亿亩农田，还要配合大量的水资源和新劳动力。

农业问题总是引发中国市场对通货膨胀的强烈预期。2008 年 4 月，中国猪肉价格创出新高，迫使中国中央银行继续施行紧缩货币政策，结果是恶化了2008 年 9 月世界性大萧条爆发对中国的影响。

拱手出让棉花定价权

在 1984 年前后，中国棉花种植面积是 1.2 亿亩，可是接下来的日子，棉花种植面积开始衰减，尤其到这两年，棉花种植面积迅猛减少，现在减至 7 500 万亩左右（如图 2)。

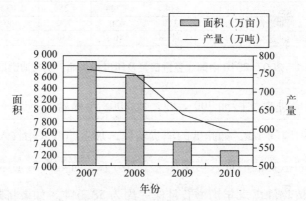

图2　2007~2009 年棉花种植面积及产量

一位在上海打工的河南棉农说，种棉花都种怕了，因为棉花从生长到采收全程都离不开人力，而且还有严格的农时限制，为了保证每个农时，必须拼死拼活地干，还必须遇到好年景。新疆春秋季短，拾花期很短，北疆拾花期只有 45 天左右，而棉花采摘进度的快慢对棉花品级有很大的影响，棉铃桃开裂 7 天后纤维强力最高，10 天后开始下降，在吐絮后曝晒 40 天，纤维强力会降低

50%，必须及时采摘才能保证棉花的品质。手工采棉收获期要 11~12 月才能基本完成，这造成棉花丰产在地里，却收不到手里，一年的投入成本沉没——太阳曝晒使棉纤维强力降低，遭霜打使棉花等级下降，甚至来不及采摘棉花直接烂在田中。如果机采棉则每年 10 月底前能完成采摘，不会有最后一道工序的损失。而且机采棉比手采棉品质好，比手采棉减少了掺杂物的概率，棉花品质能高出近一个等级。

20 世纪对人类会生活影响最大的 20 项工程技术中，第七项是农业机械化。产棉国用机械采收棉花是正常现象。除了中国，其他所有棉花生产国都是全程机械化，1 000 亩以上的棉田只要一个劳动力管理。机械化采棉是一个历史的必然，新疆棉农也深知这些年新疆的拾花成本，机械化采棉必然省钱、省心、省力。但由于有美国质优价廉的棉花可以进口，中国的棉花产业成了被遗忘和冷落的角落。

> 如果中国棉花以市场经济状态参加到全球化的运行中，以中国企业家的能力，中国的棉花产业链条将是世界上唯一能跟美国抗衡的力量。

面对美国大规模机械化的棉花种植，中国分散的人工种植成本自然要比美国高昂。中国在棉花机械化生产面前的得过且过，也是在主动放弃棉花定价权。中国棉农种植棉花没有稳定可靠的收益，所以没有棉农会在严重的不确定性下投资机械化采棉；中国参与全球化已经习惯了对廉价劳动力不用白不用，没想到有一天劳动力会不廉价。劳动力不再廉价，带来的连锁反应就是服装制造业流向低成本的国家，比如印度。印度是世界棉花生产大国，而且印度棉花产业得到了很好的保护，印度自然形成了从棉花到服装的一条完整的制造业链条，使服装制造业成为印度超越中国的一个产业。如果中国棉花以市场经济状态参加到全球化的运行中，以中国企业家的能力，中国的棉花产业链条将是世界上唯一能跟美国抗衡的力量。

2011 年 3~5 月以来，全国棉纱市场价格一路走低，国内纯棉纱市场继续没人敢做多，市场价格也一路走低。多数纱企为减轻日益上升的库存压力，报价一降再降，却仍卖不出去。目前大多数厂家的棉纱价格已降至亏本边缘，难以维持正常生产，一些厂家已经停产、减产或放假。棉花现货方面，由于国家配合控制通胀的"调控"，现货行情持续下跌，4 月以来中国棉花价格 328 指数跌破每吨 3 万元大关，4 月 25 日指数报收于每吨 28 550 元。受棉花和棉纱价格持续降低影响，棉布价格也连续下跌。对于棉纱企业来讲，虽然棉价的大幅上涨也顺利让棉纱涨了价，但是棉纱的销售情况不乐观。每年三四月是纺织业旺季，棉纱厂原以为三四月将迎来下游纺织服装企业的大量订单。但 2011 年是一个什么都反常的年份，来订货的只是寥寥无几的订散货者。不少棉纱企业从 2011 年 2 月起库存已经很多，由于库存高，部分棉纱厂资金很紧张。在山东部分地区，有的纱线交易价格每吨下跌几千块钱，原因就是棉纱厂急于回笼资金。在现实生活的实际需求中，如果棉织品涨价，人们可以不再添置衣物，不会增加这方面的支出。中国的纺织企业唯一可以依靠的是国际市场，可是面对涌来的国际订单和国内用工和原料的成本，只能无奈放假。这是一个扭曲了的以棉花为核心的棉花上游和下游的市场。相关企业大量货币无处投资，这又是一个两难的货币问题，制造了中国通胀的假象。目前在中国任何一个领域都可以牵出一条线索，使中国央行两难到无解的程度，在各方合力下更不知会是何种景象。有专家期待棉市、棉价利好的形势能维持到四五月份，中国棉花种植面积会增加，可是对于按下葫芦浮起瓢的棉花市场，中国是多种棉花好呢，还是少种棉花好呢？这又是一个两难的问题。

中国棉农没有国家的保护机制，更不懂期货的对冲，导致棉花价格涨也赔钱，跌也赔钱的局面。和棉花有关的企业也一样被动，凭运气猜测棉花接下来是暴涨还是暴跌。进入 2011 年国际经济形势优劣分化见分晓的时刻，棉花价格注定不会平稳，而哪怕是平稳的上涨或者平稳的下跌都是安全的。2011 年，棉花将在政府只见树木不见森林的"调控"中失控性地完成暴涨暴跌。进入 2011年 4 月以来，有一个几百人的企业认为棉花每吨 19 800 元与当前皮棉的市场价格每吨有万元价差，估计是利空。因此，企业负责人打赌消减库存是安全的。另一个棉商认为国家发布收储预报是利好，他要屯棉。这两个人的对赌代表了中国棉花市场多空两派力量，不知"调控"会把多方还是空方推进地狱？

印度政府建立了棉花最低保护价格，同时资助发展棉花的科研项目。巴基斯坦也建立了棉花保护价格；墨西哥 1994 年实施了扶农计划，对种植棉花三年以上的棉农每公顷补贴 73 美元，植保卫生补贴 129 美元。而中国棉农的棉花还是保持着棉商到地头挨家挨户收购的落后局面，市场的任何变化都会成为巨大风险——运输成本、棉厂开工情况、天气、外国订单，使种棉花成了和赌博一样不安全的问题。2011 年 4 月出现了中国菜农不能承受菜价太低而自杀的现象，我在乡下养流浪猫，常和农民打交道，他们对农产品的巨幅波动"习以为常"，淡定地表示要赌就有赚有赔。当你亲眼看到菜、瓜果、农产品烂在地里，看到农作物价格暴涨而农民又没产品卖时，真是心焦。每年农业生产投入的农药、化肥、劳动力有多少被浪费了？更为可怕的是要为过度种植对环境不可逆地破坏付出高额代价，这是一笔隐藏的债务，也是一个经济危机的爆破点。而美国则按常识发展着自己的农业，种植着自己的棉花，让本国棉农过着安全的日子。

在美国棉花的高补贴下，美国棉农可以无忧无虑地幸福生活。美国《1933年农业法案》就确立了棉花补贴政策，2002 年《农业法案》进一步确立了出口补贴和限制性补贴。美国还为棉农设立了反危机补贴、美国棉花销售性补贴。美国棉农不会有中国棉农的烦恼，不会有棉花卖不出去的担心。美国每年给 2.5万户棉农大约 30 亿美元的补贴，平均每户棉农得到的补贴高达 1.2 万美元，相当于中国一户棉农 7~10 年的产值。美国还为纺织企业和棉花出口商设置了贸易补贴。由于美国全套的棉花相关产业的保护，美国的棉花产业必定不会在美国经济发展的转折时刻跳出来添麻烦。相较于美国棉农的高额补贴，中国棉农每亩地仅有 15 元的良种补贴，而且棉花目前没有最低收购价保护。如此低的收入还不够在棉花上额外花的人力成本。

美国棉农还可以借期货确保收益。1870 年，纽约棉花交易所成立，开创了棉花期货交易。美国棉花以期货交易所为中心的出口定价模式，使美国纽约的洲际期货交易所成为目前全球棉花最重要的定价中心。在美国，几乎所有种植棉花的农场主和棉花贸易商都参与期货交易。美国棉花种植以农场为单位，而不像中国以一家一户为单位。棉花种植者组成棉农合作社，收获时将棉花出售给棉农合作社。棉农合作社以自己的名义参与期货市场进行套期保值，以锁定卖出价格，最终按平均价返给农民。这就从根本上解决了棉花农场主由于产量规模、资金规模限制而不能保值的问题。而中国棉花种植者由于是分散种植，一家一户的农民很难有参与棉花期货交易的能力，也就无法通过锁定价格保护收益。在棉花期货的暴涨暴跌中，只有专业炒期货的期货交易商赚钱，和中国棉农没有任何关系，是两个完全没有联系的系统。由于信息不对称，中国棉农不光受天气制约，更被动地参与到全球化的棉花暴涨暴跌中，无法把握自己的命运。

中国爱国的棉花期货操作人士，对美国农业部操盘使棉价暴涨表示愤怒，认为 2010 年棉花暴涨推升中国通胀就是美国的阴谋，理由是美国的操作手段昭然若揭。美国农业部先放利空，在棉花准备种植的时候调高生产预期，同时缩小供需比例预期，把棉价预期调低，促使中国棉农不敢多种，企业也放心大胆地不储备棉花，省下仓储费用并预防棉花丰收时棉花过剩。而美国等棉花快上市时，又放出很多利好消息，说实际产量与预期有很大差距，造成棉花价格应声上涨。之前美国操控玉米、大豆价格时也是这样做的，然后玉米、大豆价格上涨。

中国棉花最高产量不到 700 万吨，但是美国农业部居然预测中国 2010 年棉花产量 718 万吨。中国种了多少棉花自己清楚，为什么还会听美国的预测？8 月 12 日，美国农业部公布 2010 年 8 月棉花供需预测月度报告，表示全球 2010~2011 年棉花年末库存减少至 4 561 万包（1 包为 500 磅），而 7 月份还预估为 4 961 万包；又把棉花消费量从 1.197 亿包上调至 1.2087 亿包。这个预测告诉市场不但库存减少，而且需求上升了，于是棉花期货价格就涨了。8 月 12 日，各类基金便购买了约 12 000 手美国洲际交易所棉花 12 月看涨合约。据美国商品期货交易委员会（CFTC）最新数据显示，截至 8 月 10 日，当周 ICE2 号棉花期货和期权的基金净多头仓位较上周激增 13 019 口（1 口为 5 万磅），投机力量的净多头头寸增至 11 330 口。

这些数据表的公布是公开的，人人可见，这还能说是美国别有用心吗？2010 年 9 月 4 日~12 日，美国国际棉花协会（CCI）副会长帕克带领的一个代表团到中国进行访问。在北京期间，代表团成员"认真"听取了中国棉花协会、中国国家纺织服装工业协会和中纺的报告。然后，帕克说："中国是美国原棉的最大客户，我们致力于满足中国客户的需要，不论在质量方面还是在及时交货方面，美国棉业将一如既往地遵守承诺，及时提供高质量的棉花。"帕克这次访问给了中国棉花产业部门一个高枕无忧的预期。无论美国是否在"合适"的时间访问了中国，对世界棉花的生杀予夺仍完全掌控在美国人手里，美国可以选择合适的时机按照美国长期战略需求进行精准打击。把失败归于对手的过于强大，这样使无能为力的国人在心理上或许会得到些安慰。

棉花的统治权不可能是中国的。中国、美国、印度和巴基斯坦是全球四大棉花生产国，其中美国是最大的出口国，而中国则是最大的进口国，也是美国的第一大客户。据美国农业部 2010 年 8 月 12 日公布的数据，中国棉花进口需求量从 1993 年以来已经增长了 24%。2009 年中国全年度累计进口棉花 250.5 万吨，同比增长 73%。其中从美国进口 85.12 万吨，占 33.98%；从印度进口 79.77 万吨，占 31.84%；从乌兹别克斯坦进口 24.67 万吨，占 9.85%；从澳大利亚进口 19.87 万吨，占 7.93%。

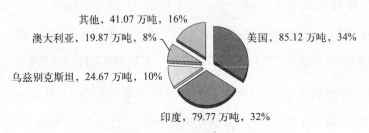

其他，41.07 万吨，16%

澳大利亚，19.87 万吨，8%

美国，85.12 万吨，34%

乌兹别克斯坦，24.67 万吨，10%

印度，79.77 万吨，32%

图 3   2009 年中国棉花进口量

中国服装出口制造业对棉花的需求急速增加，同时又自毁棉田，把中国经济中这一难得的产业链人为拉断，而把美国棉花产业链放到中间，为美国棉农的收入锦上添花。设想一下，用中国自产的棉花发展中国自己的对外服装贸易，中国人口优势的制造业使中国最有基础成为世界棉花帝国，哪有美国现在用棉花推动中国通胀的机会？中国棉农也可以体会一下四大棉花大国的世界地位。

2010 年前 8 个月我国累计进口棉花 195 万吨，同比增长 1 倍。印度本国服装制造业的发展需要增加棉花供应，为保障国内棉纺织业原料供应，印度 2010 年 5 月 21 日起对棉花采取出口限制措施。而巴基斯坦和孟加拉国的棉花进口商则立刻要求印度棉花种植者履行已经签署的棉花出口合同，否则将要求其支付合同违约金。孟加拉国是南亚纺织大国，年纺织品出口占出口总额 80% 左右。巴基斯坦虽然是世界第四大棉花生产国，但洪灾导致棉花减产近 38 万吨，2010~2011 年，将至少进口 68 万吨棉花。而 2010 年印度为棉花需求自保而推出出口限制性政策，使国际市场棉花供应量减少。

2005 年，全球棉花出口 808 万吨，美国占了 283 万吨，占全球棉花出口的 35%。国际棉花咨询委员会曾预测，2010 年度，全球棉花出口 846 万吨，美国将占 322 万吨，达到 39%，所以 2010 年，美国的棉花种植面积增加了 20%，产量增加了近 50%，顺应了国际市场的需求。2010 年的棉花价格上涨幅度超过了 150%。美国棉农安全地赚进了 2010 年国际市场上棉花缺口和 2010 年棉花价格上涨幅度超过 150% 带来的所有利润。

中国没有认识到统计数据指导棉花播种的意义，没有一个可以根据预报决定产量的机制。棉花价格自 2010 年下半年以来一直呈现上扬的态势，2010 年 9 月份棉价突破每吨 2 万元大关，创下了 15 年以来的新高。2011 年 3 月 7 日，中国棉花价格指数为每吨 31 005 元，每吨涨 92 元，在 ICE 期货强势上涨的刺激下，进口棉中国主港报价又上涨 7 美分，远期装运的澳棉和巴西棉上涨了 4~5 美分，多数品种折人民币到岸价每吨突破 4 万元。目前，我国棉花产需缺口达 400 万吨以上，2011 年棉花进口配额已经发放至企业，包括 89.4 万吨进口关税配额和 170 万吨滑准税配额，比 2010 年同期增加 70 万吨。专家分析，我国棉花进口除了国家的进口配额外，剩下均为企业进口行为。2010~2011 年，中国劳动力成本出现了两位数的增长，成本投入也不断飙升。2011 年 2 月，我国纺织品服装出口增速下滑，企业也难以承担。美国棉农享受美国政府提供的高额补贴，补贴率高达 89%，即每卖 100 美元棉花补贴 89 美元。而中国棉农每亩仅有 15 元的良种补贴，同时由于棉花生产成本的上升及产量、质量下降，导致棉价虽然暴涨，但棉农并未获得增收。中国如不重视对棉农进行补贴和扶持，中国对外棉的依赖将进一步加深。中国棉花也将步玉米、大豆的后尘，被美国所控制。把定价权让给美国棉农，这对于中国这个以制造业为生命线的农业大国是很危险的。"凡有的，还要加给他叫他多余；没有的，连他所有的也要夺过来。" 这个世界就这样运转着。

中药涨价的背后

中国百姓在个人支出上紧缩，中国经济在发展上浪费，各经济领域似乎都问题重重，中药产业也是如此。

中国出口的中药材常被退回来，因为农药残留、砷盐、重金属超标，这是由于我们的地下水受污染了，根茎类的药材用硫黄熏，贵重药材加重粉。现在全国都采用韩国进口的煎药机煎药，这种煎药机只煎一次药。有效成分煎出来的很少，医生可以开大剂量方剂，药材浪费的同时为个人和医院创收。每剂药中黄芪本来最多30克，现在能开到100~200克。黑附子过去规定超过10克医生要病人签字的，怕中毒，现在医生一次能开到80克。中药资源很多是稀有动物、稀有植物，但很多中药资源都被浪费了。

中药价格从2009年冬天开始上涨，中国中药协会提供的统计数据表明：2010年全国市场全部中药材涨幅为15%~353%。进入2011年以来，中药材的价格又已经涨了几次，而且都是翻倍地上涨。太子参历史最低价仅为每公斤9元，2010年年初价格为每公斤53元，2011年年初为每公斤400元。党参2010年年初到11月价格涨幅162%，创历史新高。

中国的三甲中医院有很强的中药制剂研发能力，研发了许多切实有效的、西药难以替代的中药制剂，可是，现在这些医院的中药制剂室不得不停产或取消。医生会推荐患者改看西医，用西药来控制病情。对于医院来说，中药药品停产其实并非偶然，中药制剂价格是有关部门10多年前定的价格，20世纪90年代医院生产中药还是有利润的，而现在生产中药的成本比卖价高出几倍，药房赔钱做药已经有几年的时间。因此，2011年，许多医院中药制剂纷纷停产。中药是保佑中国人身体健康的守护神。这几年有很多有效而便宜的中药绝迹，给中华民族造成的间接经济损失不能用金钱计数。

随着劳动力成本的上升，农村中草药种植成本也在不断上升。而且中药种植不同于蔬菜的短周期，很多中药生长周期很长，回本压力大，导致中药材减产，而且很多中药因为生态破坏而绝迹。从2000年起，全国药材总产量年均递减20%左右。

由于资源过度消耗，野生药材大幅减少，而中药应用日益广泛，需求迅速增长，缺口越来越大，中草药价格必然上涨。随着中草药价格的上涨，生产中药饮片和中成药的企业只能面临成本倒挂的现象。从整个医药行业来说，中成药和中药饮片本身的利润率比较低，中草药涨价后，很多企业越生产越亏损。中国居民生存必需品都在"倒挂"中前行。

根据上海市中药行业协会的统计，2010年上海医药企业销售中药饮片的利润率在2.2%左右，中成药利润率为8.5%~12%，而生物制药利润率为35%~45%，化学药为13%~15%。目前市场上太子参原材料的价格大大超过饮片的售价。在2010年一次对上海市18家中药饮品药材的摸底调查中，有200多种中药材进价反超零售价。一种中成药的成分可能包含10多种中草药，所以中草药涨价对中成药企业影响非常大。对于属于国家规定的基本药物目录的中成药品种来说，如果要上调市场零售价格就必须经过发改委审批，即使价格可以上调也需要一段时间。所以现在许多中成药企业都已经开始减产、停产或破产。进入2011年以来，像补中益气汤丸、感冒冲剂这样的常用药开始在医保药店断货。

还有102种最基本的常用中成药属于发改委的限价药物，这些基本药物不能涨价，相关生产企业只能承受巨大的成本压力。

此轮中药上涨的原因可以说是：（1）中国高铁、中国光伏和中国煤炭囤积了大量的劳动力；（2）在中草药每年种植面积减少的同时，种植成本还在迅速上升；（3）运输成本不断增加；（4）因为游资的炒作，以及更多充裕资金流向农产品市场产生的"联动效应";(5)天气不好导致产量下降……

　　许多细节往往会成为重要问题的警示。比如,2007年5月,还在筹备阶段的中国中投公司斥资30亿美元,以每股29.605美元的价格收购了美国黑石集团1.01亿股份,占黑石集团扩大后股份的9.37%,随后中国中投公司迅速收购了大量美国金融公司股份,然而在2009年9月,美国次级债危机开始爆发。再比如,2007年11月中国中石油在资本市场的热烈欢呼中上市,然而,中国股市却进入了长期熊市。我们可以从细节中看出问题。2007年5月,为什么美国大量金融公司需要中国资本进入收购呢?因为当时日本投资者开始大规模紧急撤离美国资本市场(如图4),中投公司大规模进场,以历史最高价抢购即将破产的美国金融公司,成为资本市场一个可怜的受骗者。

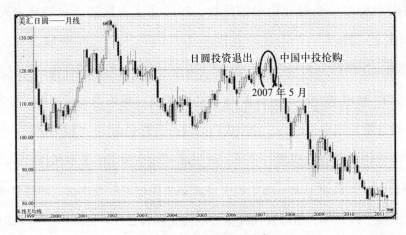

图4　中国中投抢购美国破产公司

　　2007年11月上市的中石油,为什么会获得中国资本市场的热烈欢呼呢?因为中石油的盈利太好了,可是,中石油的盈利好主要是因为石油价格在2007年11月创出了每桶100美元的历史新纪录。因此,中石油盈利好只能说明中国中小企业快要出问题了。2008年,中国中小企业大量破产,中国股市进入长期恶性熊市。现在,中国中药价格暴涨说明了什么简单的经济常识呢?由于中药是中国千百年以来价格最便宜和稳定的参考指数，中药价格暴涨说明中国将面临一场人为反击通货膨胀上升，引发大量资本外逃的一幕。

中国农业需要合理配置

过去 10 年全球化的无障碍推进，使亚洲包括中国地区正面临水污染和缺水问题，大量工业废水被用于农业灌溉。中国人均水资源是世界平均水平的 1/4。越来越多的亚洲人不得不面对空气中的工业废气，水资源中的化学添加剂，大量树木毁灭性的砍伐，动物种群的永久消失，气候变异的频繁，一些亚洲国家还在接收富国的垃圾。同时，富国对本土农场主的大量补贴，形成了全球强大力量的工业产业化农业集团。美国工业产业化农业稻米集团已经重创了海地、洪都拉斯、菲律宾的本土种植稻米的小农户。2007 年，菲律宾稻米价格一夜之间上涨 5 倍。工业产业化农业的化石燃料能源成本是小农户的 3 倍，水资源消耗是小农户的 10 倍。工业产业化农业集团的种子是工业种子，这种工业种子需要大量水资源、大量化肥与杀虫剂。小农户的种子是本土进化种子，这种种子是经过几百年甚至更多时间优选出来的种子，它们尤其适应本土气候，所需水资源非常少，不需要化肥与杀虫剂，能自我抵抗本土虫害。工业种子相比本土进化种子的唯一优势就是产量要高出 30%~40%。美欧国家是全球水资源最富裕的地区，而中国是全球水资源严重缺少地区。现在中国大搞工业种子工程，工业种子几乎已取代了本土进化种子。中国的工业种子需消耗的水资源是本土进化种子的 10 倍，更让人惊叹的是中国现在产业农业需要消耗的化肥与杀虫剂，是美国或欧洲的 3 倍以上。中国工业种子所需消耗的水资源已占到中国全部需消耗水资源的 75% 以上。

传统农业体系是经历了许多世纪进化下来的生存体系。本土农业的大量消失，导致全球环境与水资源的破坏，以及大量物种的毁灭，而且这将是一种长期趋势。中国地区小农养猪户的养猪成本比产业化养猪企业低20%。小农养猪户所需的水资源大部分来自河水或雨水，养猪饲料大部分是自己种植的玉米或河道里的水草。而工业产业化养猪企业需要大量消耗居民用水、转基因大豆、电力，还需要大规模运输。如果中国纳税人能大量消费到中国小农养猪户的产品，那中国就会节约大量居民用水、煤炭以及石油。但是，中国工业产业化养猪企业会依靠销售优势、资金规模与政府税收补贴，最终全部取代小农养猪户的。就像中国本土进化种子几乎被工业种子完全取代一样。

只要合理配置，中国农业不是问题。2万多平方公里的以色列2/3的国土是沙漠，一年7个月不下雨，人均水资源还没有200吨，人均水资源是世界的1/50。"流着奶和蜜的应许之地"就这样吗？相比以色列，中国不缺水、不缺地，那缺什么呢？

以色列温室无土栽培使用低流量滴灌喷头，每小时供水仅200毫升。这种方法灌溉的一个独特之处在于水分可以在培养基中均匀扩散，从而减少水分的流失。滴灌管线中安装了过滤筒，它是一种塑料的多齿元件，当水流经过滤筒时，会产生涡流，可以清除其中的沙粒，防止细小的滴头出口受堵。以色列还把管线埋藏在地下50厘米深处进行埋藏式灌溉，这种灌溉可以减少蒸发保持地表干燥，即使灌溉时也不影响田间作业。以色列所有灌溉方式都采用计算机控制。计算机可完成一系列的操作程序。滴灌与水循环技术的结合，发展出最新的"污水灌溉"系统。通过检测作物对污水中盐分、重金属离子等的耐受力，并保证对人体健康无害，循环水不用再经过完全净化就可用于农业灌溉，这大大节约了成本。这种伟大的发明是逐利的商人文化所能想象的吗？

以色列是订单农业，有专门的机构根据国内和国际天气情况、经济情况测算每年需要的产量，可以避免农产品价格在两个极端之间跳跃。以色列奶牛饲养业同样按配额。生产配额由以色列奶牛协会制定，而产品价格则由政府部门控制。市场需求达不到农产品供应量，政府则给予补贴，并告诉农民不要再生产那么多了。以色列每年在研究与开发方面都有大量投资。

以色列农业效率极高：西红柿每公顷最高年产 500 吨，沙漠地区柑橘每公顷最高年产 80 吨，鸡年均产蛋 280 个，奶牛年均产奶量 1 万公斤。以色列人在农业发展中乐趣无穷，其农业奇迹的创造者绝不仅仅拥有滴灌技术、高科技材料，还有爱心，把作物当孩子养，在这种条件下以色列农产品大量出口，每年换取约 14 亿美元的外汇，农业物资和技术的出口额也达 12 亿美元。农业出口占以色列全国出口总值的 9%，是"欧洲冬季厨房"。以色列"国父"古里安的梦想是：让沙漠里开出鲜花，在荒凉的内盖夫沙漠中使每公顷土地的玫瑰年产量高达 300 万枝。以色列农业的灌溉用水是以滴计算的。以色列的水资源利用率能够达到 100%，日本是 30%，中国是 10%。以色列城市废水的 70% 被回收净化用于农业生产。作物在每一个生长步骤所需的营养、需要达到的成长效果都经过预先设计，并由计算机系统严格保证实施。按照以色列的农业标准，中国可以养活全球的人口。

第二章

奶粉价格高涨的前因后果

面临威胁的中国奶业

2011年奶粉问题的严重性已远远超过了通胀本身。疯狂挖煤发电几乎毁灭了奶业圣地，城市疯狂扩张也几乎毁灭了云南奶业。

我的朋友们好像喊了预备开始，就在这几年开始纷纷给中国增添小生命，有时我一天会同时接到两个来自不同地区朋友的报喜短信，更可喜可贺的是有时还有双胞胎，可是这些未来的炎黄子孙似乎只能选择吃外国高价奶粉长大。婴儿奶粉价格近5年来翻了一倍，而且涨价仍在继续，甚至2011年到了加速上升的阶段。我的这些朋友没有一个不是在用各种方法，在海外购买或请人代购国外的奶粉。他们表示不希望给孩子吃国产的奶粉，甚至收入不高、生活拮据的人家也在努力为孩子买外国奶粉。而惠氏、雅培等国外品牌也纷纷调整产品线，推出了适合二线城市的中低端产品，面向中国广大的普通家庭的宝宝。2008 年，"三聚氰胺"大白于天下，网络的力量挽救了中国的未来。

中国奶粉市场，尤其是婴幼儿配方奶粉的需求增长速度是世界奇迹，其中高档婴儿奶粉市场销量每年以两位数的速度增长。我身边的朋友们也一起创造着这场奇迹。2008~2010 年是中国一个添丁的高峰，中国 0~3 岁的人口约有 6 900 万，每年新出生的人口在 1 700 万左右。到 2010 年，中国将有 5 700 万户城市家庭步入中产阶层，其中多数中国城市家庭处于 4~6 个成年人抚养一个孩子的阶段。届时，中国必定成为世界最大的高端婴幼儿奶粉消费市场。我一个朋友添了对双胞胎宝宝，于是托朋友的朋友在荷兰超市里买奶粉。而中国人突然大规模购买荷兰奶粉，常常让荷兰奶粉脱销，影响了荷兰婴儿的正常生活，有些荷兰妈妈还会很不高兴中国的抢购行为，常帮别人采购奶粉的那位朋友也时常会遭遇这样的尴尬。然而托他购买的人越来越多，进入 2011 年，他说他可以开一家国际快递公司了。

即使有三聚氰胺事件，也没能挡住中国奶制品的涨价（如图 5）。牛奶行业

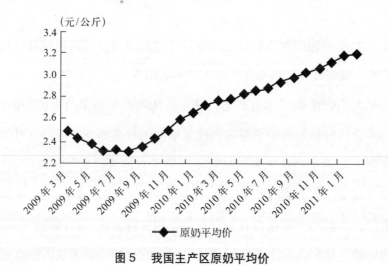

图 5　我国主产区原奶平均价

资料来源：国家统计局

鲜奶收购价秋冬上浮、春季下降的市场规律，在 2011 年的春天被打破了，中国奶制品频频涨价。而美国农业部 2011 年 1 月 28 日公布，截至 2011 年 1 月 1 日，美国牛群总数减少至 925.82 万头，创下了 53 年以来的最低水平，原因是饲料价格上涨，且牛肉生产商屠宰了更多的牛以搭上价格上涨的这班车。美国牛奶价格 2011 年已上涨 48%，超过了其他任何一种农产品价格的涨幅。

2009 年，中国奶粉行业到了疯狂的地步，所有的企业都不计成本地投入到价格战中。这种投入阻止了三聚氰胺事件后中国国产奶粉销量迅速下降的态势，保住了国产奶粉的基本市场份额。到了 2010 年，这些企业在总结和规划的时候突然发现，虽然销售额增长了，但是在 2010 年缺少巩固这种发展的费用，以至于有几家快速发展的企业很快走入了低谷。卧薪尝胆一年后，时间到了 2011 年，中国奶粉业会何去何从呢？2010 年，虽然原奶大幅涨价，但许多国产奶粉企业的经营利润仍大幅下滑。由于 2009 年的价格战消耗和 2010 年的成本增加，很多国产奶粉企业在 2010 年捉襟见肘。2011 年利润下滑的压力会更加严峻，这一方面是整个社会的通胀压力，一方面是渠道要求的进一步提升和企业费用的增加。这些都将迫使企业作出无奈的调整。

1999 年婴儿奶粉中查出二噁英、2004 年阜阳"大头娃娃"、2008 年三聚氰胺、2010 年的激素、2011 年的"皮革奶"……这些事件在 2011 年，几乎彻底击垮了中国新生儿家长的信心。外资品牌婴幼儿奶粉是 2008 年三聚氰胺事件爆发后全面进入中国的。一些国产奶粉品牌没有道德底线的行为，使中国整个奶业没有机会通过提高技术含量来增加利润。

中国第三大奶粉生产省陕西省 60%~70% 的乳品企业生产大包装奶粉，2010 年鲜奶收购价格上涨，进口大包装奶粉比国产同类产品物美价廉，当地很多企业只能停产或半停产，2010 年的产量比 2009 年少了 10%~20%。刚刚进入 2011 年，陕西省的鲜奶收购价格已经从低位的每公斤 2.5 元，上升到现在每公斤

3.5~3.6 元，而最高收购价已经叫到了每公斤 4.15 元。这是什么概念？一吨国产大包装奶粉的成本在 3.5 万元左右，而目前市场价是 3.2 万~3.3 万元，价格倒挂导致很多奶粉加工厂无法运转。一连串的恶性连锁反应开始显现。业内人士认为，国内奶粉加工厂开工不足，导致我国的鲜奶收购减少，从而使奶农利益受损。我国牛羊养殖业将受到挤压，进口奶粉每增加 10 万吨，将直接导致国内减少 85 万吨的生鲜乳的需求。

在外资超高端产品的压力下，在很多国产奶粉企业的积弊可能于 2011 年集中爆发的压力下，除了婴幼儿奶粉，广泛使用于酸奶、复原乳、乳饮料的生产以及用于糕点、糖果等食品的国产大包装奶粉，也必将受到进口大包装奶粉的巨大冲击。2010 年前 11 个月，进口大包装奶粉总量创下历史新高，达到 37.06 万吨。而 2011 年预计进口将突破 50 万吨，如果这种增长势头继续下去，国产奶粉产业链将受到冲击。在 2008 年之前，我国每年进口的大包装奶粉基本上没有超过 15 万吨，三聚氰胺事件后，大量乳品、食品企业拒用国产大包装奶粉，进口大包装奶粉就这样大规模进入中国，对于中国奶业来说，是自己创造了这样的灭顶之灾，而背后潜在的威胁是，洋奶粉的大举进入已经对我国奶粉产业链构成威胁。而哺育中华民族新生命的内蒙古大草原，却逐渐成为破坏性开采的煤矿。毋庸置疑，政府扩张的力量，往往是通货膨胀的原动力。

内蒙古畜牧业危机

20 世纪 60 年代的时候，仅锡林郭勒盟一个盟的草原面积就达 16 万平方公里，相当于荷兰、丹麦、比利时、瑞士四国国土面积的总和。现在，锡林郭勒盟只有沿北部国境线的一窄条不到 6 万平方公里的草原，还没有被大规模农垦和大规模工业破坏。一望无际的原始草原和可爱的野生动物几乎绝迹，取而代之的是大量的老鼠。

乌珠穆沁草原上有众多发源于大兴安岭北麓的河流，这些河流大部分是内陆河，流淌在乌珠穆沁草原上，积聚为许多湖泊。自1980年政府决策截断河水供开垦的100多万亩农田使用以来，乌拉盖河流域下游湿地和草原逐年干涸，湖泊现已全部消失。2002年2月2日，东乌旗政府工作报告中指出：要把"东乌旗变成工业强旗"。结果大量的内地企业、投资人进入草原，消耗、污染了原本就极有限的地下水和一些自然资源。

草原的气候蒸发率很高，被灌溉的土地很快盐碱化。由于湿地的土壤肥沃并且容易找到水源，所以很多湿地被选中用来转化为农地。结果是，周围的土地经常变得很干旱。湿地是地球上重要的生态系统，是生物多样性最为丰富的地域，是地球会呼吸的肺，大自然的配置如同人体器官。对内蒙古东乌珠穆沁旗满都镇阿尔肖特湖的植被、土壤及面积的调查发现，由于修公路断流3年来，沙地面积向外扩张的同时，水面积迅速减少，致使沙化面积平均年增长26%~28%，如果按照这样发展，十几年后周边的草原都将被"吞噬"，阿尔肖特湖将消失。阿尔肖特湖边沙化后，生物多样性将迅速消失。

内蒙古草原是首都北京的生态屏障。中国牛奶的重要核心供应基地内蒙古大草原的春天、夏天本应该是绿色，秋天、冬天是黄色，还有四季的白云蓝天，但现在几乎一年四季都可见黑色大坑和黄色沙漠。在锡林郭勒盟的霍林河草原，有一个著名的霍林河露天煤矿，现在是地表下沉、大气和水污染、水土严重流失、生态系统退化、生物多样性消失、景观受到破坏、威胁人体健康。

千百年来游牧民族"逐水草而居"，人与自然就这样一代一代地和谐着，为什么在近年会出现过度放牧呢？首先是人口激增，造成草原负荷加剧。其次是在工业需求与丰厚利益的驱动下，内蒙古已经成为全国重要的能源供应基地、矿产开采和冶炼基地。位于呼伦贝尔草原腹地的伊敏河露天煤矿是我国目前正在开发的大型露天煤矿之一。据专家介绍，规划开采的一、二露天矿占地 4.95 万亩，每年鲜草产量减少近万吨。如按矿区总体规划，占用草场 20 多万亩，牧草将减产 4 万吨。露天开采不仅破坏草原植被，更严重的是破坏了地下水资源。近年来，呼伦贝尔七大河流全部出现断流。此外，草场土地被征用后，原来放牧的牲畜将转移到周围草场，加重周围草场载畜负荷量，加剧草场退化。

建成一个 4×60 万千瓦燃煤电站和与之配套的年产 1 100 万吨原煤的露天矿，占地 5 平方公里左右，每年可实现工业增加值 20 亿元左右，同时为煤矿提供上千名牧民挖煤工。像这样为开采煤矿而开垦草原的事件，2009 年一年内蒙古就有上千起，开垦者每户年收入 5 万~30 万。近年来把草原变或农田的事件一年多过一年，农田丰富的地区把农田变成地产、有毒的化工厂。为了城市扩张疯狂抢占农田，明知开垦草原种庄稼只有几年就会变沙漠，还去疯狂开垦，这是美国阴谋，还是因为极度贪婪？通辽市扎鲁特旗曾是草原肥美的地方，随着科尔沁草原的退化，扎鲁特旗已成为"科尔沁最后一块完整的草原"。但就在这里，1996 年以来，70% 以上的草场先后被开垦，总开垦数达到了 5 万亩。开垦后的草原对外承包第一年租金达每亩 280 元，随着土壤被风吹走的程度加重，租金逐年递减。种玉米一般耕种 6 年，土壤的 70% 以上即会被风吹走，变成白干土；种绿豆一般只用 3 年，土壤的 70% 以上就被风吹走了。原始生态系统、植被种群和植物多样性的恢复则是不可能的。

2001 年，锡林郭勒盟确定嘎查为首个移民点，要求全嘎查整体搬迁到 10 公里外的桑根达来镇近郊。牧民们卖掉所有的牛羊，搬迁到距桑根达来镇 1 公里处的移民村。按照政府的规划，移民们开始养奶牛。习惯了放牧的牧民不懂"人工饲料+添加剂+抗生素+每只牛在笼中终身不能走动"的工厂化养牛。而且，这些年奶牛市场的起起落落，是牧民们祖祖辈辈没有遇到过的。随着饲料价格的上涨，饲养一只羊的成本从 2002 年到 2009 年增加了近两倍。从 2002 年开始，国家在京津风沙源项目中增加了"禁牧舍饲"项目，但项目补贴到 2008 年结束。如今牧民享受不到相应的补贴。牧民哈登巴特尔算了一笔账，他家 200 只羊、20 头牛，在春季休牧的 45 天时间，大概需要 1.5 万公斤饲草料，折成现金至少也有 1 万元。而由于连年遭受大旱，打草量严重不足，一些牧民只能眼睁睁地看着牛羊饿死。

内蒙古畜牧业面临危机，牧民收入锐减的原因还有三聚氰胺。现在禁止进口中国奶制品的国家和地区有：中国台湾、中国香港、中国澳门、印尼、韩国、日本、美国、欧盟、马来西亚、新加坡、缅甸、菲律宾、不丹、文莱、柬埔寨、肯尼亚、坦桑尼亚、布隆迪、加蓬、利比里亚、塞内加尔、印度、智利、哥伦比亚、巴西等。

当然，今天奶制品价格正在成为中国通货膨胀预期的一个因素，但这种人为产生的通货膨胀预期的结果，实际是不应该进入中国货币政策参考逻辑中的。查尔斯·哈代在 1932 年写的一本关于美国中央银行的书中表示："无论是在经济萧条时人为降低资金成本来刺激经济，还是在经济繁荣时提高资金成本来遏制经济，这些并非美国中央银行的分内事，它只需要在事情发生时'袖手旁观'。"这个"袖手旁观"的观点，终于在 20 世纪 90 年代中后期的美国市场上，被美联储前主席格林斯潘开始高度认同和首次使用。

"泡沫"一直是全球经济史发生和演变的重要构成。在 20 世纪 90 年代中后期的美国纳斯达克市场发生的高强度火暴"泡沫"中，美联储前主席格林斯潘表现出激进和倔强的良好个性，格林斯潘当时坚决反对根据任何"不确定的资产价格泡沫"来制定美国的货币政策。他表示："要确认泡沫的存在，就需要先判断成千上万的投资者是否是预期错误；其次，市场最终的选择会超过中央银行干涉的结果。"

　　"干涉主义"在 1928 年已经开始，美联储对美国资本市场和通货膨胀的预期的质疑，让美联储采取了紧缩的货币政策，问题是，1927 年美国的建筑业已经开始出现了衰退，所以可以说 1929 年美国经济的衰退是"干涉主义"的杰作。同时，1929 年 10 月还是"清算主义"的世界。约瑟夫·熊彼特"创造性破坏"的理论，让他在 1929 年 10 月成为了"清算主义"者的思想库。在"清算主义"者看来，1929 年 10 月的美国股市大崩盘是"完全积极健康的过程，需要用足够的耐心、乐观的态度和平和的心态让其发展下去"。美国财政前部长安德鲁·梅隆是一个彻彻底底的"清算主义"者，他对美国总统胡佛的解释是："这次股灾能帮助美国经济根除经济体系中的结构性问题，过高的生活成本和商业成本将会下降，人们会更加努力工作，企业家将更加优胜劣汰。"

　　总之，今天经济世界唯一幸运的是，货币主义和美联储伯南克都认同 1928 年美联储对美国经济的反通货膨胀政策是多么愚蠢和缺乏判断力。

　　1930 年，全球最强大的制造业和全球最富于资本的美国经济，在美联储和美国国会愚蠢和缺乏判断力的努力下，成为全球经济中最大的"倒霉蛋"。那场人为制造的美国经济大萧条用现在的视角看是多么荒唐和愚蠢。今天，同样是全球最强大的制造业和全球最富于资本的中国经济，同样上演着拼命反击通货膨胀的一幕。

　　2011 年美国的婴儿潮一代开始进入大规模退休程序。20 年内这 7 800 万美国婴儿潮一代人将全部完成退休程序。这是全世界最富有也是最乐意大量消费的一代，他们退休后的世界会怎样？到 2030 年，美国、德国的老龄人口比例将迅速上升到 26% 左右，而日本将高达 30% 以上。人退休了需要什么？医疗、护理、休闲、宠物、宗教包括最蓝的天空。所以退休的人会压缩在汽车、工业制品上的消费，会出现负储蓄。美国现在 3.9 个年轻劳动力对应 1 个 65 岁以上的老人，到 2030 年这个比例将是 2.4∶1，全球发达国家的平均比例将达 2.5∶1。未来5年全球发达国家成年劳动力税负将大幅上升。如果未来5年主要新兴国家（如中国、印度等国）不能大幅提高本国内部总需求（也就是工资收入大幅上升），那到2015年，全球汽车制造商、钢铁制造商至少将有50%会因骤降的世界总需求而受到重创。我们发现中国通货膨胀的短期人为因素很多很多，但是世界体系的通货紧缩的力量才应该是中国中央银行应该思考的原则问题。用短期的价格力量来预期长期的价格结果，是1930年美联储的荒唐，今天，历史又在重演。

云南的"生态通胀"

城市疯狂扩张将仅仅损毁云南奶业和养殖业吗？还有不可恢复的生态危机后推高的中国经济成本。云南本来自给自足的畜牧业现在需要外省市调拨，在中国运输费用高占GDP近20%的情况下，再加上中石油的高额利润，其中的运输费用是巨大的开支，直接和间接推动了通货膨胀。

笔者在中国一、二、三、四线城市甚至乡村的走访中发现，全国上下都在大搬迁、大扩建。二、三、四线城市一个个小城千篇一律都有新修建的广场以及政府和银行、电力公司的大楼、星级大酒店和繁华的商业街。一个总人口才21万的贫困县，县城新区框架却要扩张至32平方公里，在人气没有聚集的情况下，快速拉开城市框架，一个可以预见的结果是，大量土地被浪费闲置。

土地让地方政府成为一个豪华的乞丐。在"中国模式"过去的30年中，中国着力于物，建高楼大厦，建新区特区，建特高压电网，建高速铁路，无论哪种需求都是以个人需求和民族需求为基础的。而美国的一切金融政策也都会下意识为了本民族的利益。美国政府替美国选民"不择手段"谋福利对于美国是

"正义"的。人类世界是由个体的人组成的，个体的人组成家庭，以每个家庭成员为基础的血缘关系构成血缘关系体，还有地域自然汇成的群体，人种汇成的群体，这些社会成员构成国家。对于任何一个个体都有一个区别于其他个体的共性，每一个个体都在维护着个体的利益和以自身利益为中心的共同利益体，为了天赋的生存和壮大权利会本能地维护这个团体的利益，也本能地和个人利益团体外的、客观环境中的团体按给自己利益最大化的需求来建立相应的关系。国与国之间也是利益体的关系。或者可以这么理解，世界上国与国、人与人之间的关系可以用两个字概括：利益。你有什么利益，就决定你有什么立场。你站在什么立场，就决定了你会选择哪一个答案。这就是利益立场论。全球化中的参与者是以国为单位的。

> 你有什么利益，就决定你有什么立场；你站在什么立场，就决定了你会选择哪一个答案。这就是利益立场论。全球化中的参与者是以国为单位的。

3 000多万年前"昆明猿人"诞生在云南呈贡县。地球上少数可以孕育人类祖先的地方必定有极其优异的自然环境。呈贡是中国鲜花种植基地、昆明市的"菜篮子"、蔬菜外销的主产区。几千万年来，呈贡这个人类发祥地一如既往地养育着她的后代，为现在的人们提供优质稻谷、优质水源。呈贡原始森林19万亩，有多种用材林、果林、野生药材及花卉品种。呈贡县也称"花乡"、"果乡"、"菜乡"、"鱼米之乡"、"矿泉水之乡"、"奶牛之乡"等，上帝分给呈贡县的自然资源，显然不是用来开发房地产和建工厂的。

呈贡县在种植花卉、蔬菜时产生的大量菜叶、花梗，为奶牛饲养提供了丰富的青饲料，牛圈产生的有机肥为花、菜的生产提供了农家肥。会泽商人保先生利用这个自然的产业链2001成立了乳业公司，发展到了2 600多头奶牛的规模，2010年在呈贡新区开发，按照政府的要求把奶牛场拆迁到嵩明。拆迁前，昆明市场上交易的80%左右的牛都来自保先生的农场。2010年饲料价格上涨，房地产的建设导致青草越来越少，稻草全部要外购。种植玉米等饲料的地区也同样遭遇新城建设和务农劳动力减少的问题，因此所有饲料价格都在不停地上涨。这种情况迅速导致饲养奶牛的成本上升，引发了新一轮的云南奶牛变菜牛现象。规模小一些的奶牛养殖户在高成本的压力下改行，甚至只能杀奶牛卖牛肉开餐馆了。因为持续上涨的饲养成本，保先生只保留了不到1 000头牛维持生计。奶牛没饲料、奶农没场地饲养奶牛，再来要求满足奶业市场供应是不可能的。这种情况对下游奶粉企业最直接的影响是只能减少奶粉生产，压缩总产量，并导致大量出口泰国、缅甸等市场的小包奶粉没货可出。

保先生的这种情况正在中国蔓延，这也是导致中国猪肉价格暴涨的一个原因。

比失去云南奶业更严重的，是失去抚仙湖。

抚仙湖是中国最大的深水型淡水湖泊，是珠江的源头。它的淡水储量有12个滇池之多，是全国湖泊淡水总储量的1/10，是珠江流域和泛珠江三角洲地区2.6亿人唯一的水资源。抚仙湖灌溉着沿岸的几十万亩良田。抚仙湖流域面积达1 084平方公里，是滇中粮仓，是云烟之乡。在云南九大高原湖泊中，还保持着I类水质的就剩抚仙湖了，其他八大高原湖泊已被重度污染，失去了饮用和灌溉的功能。几千万年来抚育生灵的抚仙湖，却在2011年加速走向"死亡"。呈贡县被定位为新区，新区规划面积160平方公里，城市建设用地107平方公里，昆明主城区的9所大学、昆明市政府及各个职能部门将陆续搬入这个人类发祥地。这场昆明有史以来最浩荡的搬迁给未来带来的是什么呢？每一场新建都是对耕地和原始自然资源的侵占。

新昆明建设在呈贡县全面展开，被征地的农户被迫外出租地种菜、种花，越来越多的农民来到抚仙湖畔开荒种地。截至2010年1月，呈贡新区失地农民外出租地2 181户，租地面积35 403.246亩，其中在抚仙湖畔租地的面积占近

1/10。

　　抚仙湖是玉溪人的重要饮用水水源，2009 年，抚仙湖径流区农村生活污水排放量为 3 098.22 吨，人畜粪便排放量 5 221.60 吨，产生生活垃圾 2 460 吨。据环保部门的统计，仅 2009 年一年，抚仙湖流域农村污染中产生的COD（化学需氧量）入湖量就高达 4 344.95 吨。排入到湖中的农药直接污染水体，致使一些生物种群中毒灭亡，破坏了整个环湖流域生态系统。抚仙湖周边的滇池、星云湖、杞麓湖都已严重污染，而且星云湖与抚仙湖有河道相连。抚仙湖的理论换水周期长达 200 多年，而 157 米深的湖水是不可能换水的，一旦被污染几乎不可能治理。不知中国的大地上还有多少个抚仙湖可以容得下商人逐利文化的践踏？

　　云南的全省大挪移，可以说是全国上下都在进行的一场"运动"。笔者在乡下养流浪猫的 16 年里，平均不到两年搬一次家的经历就真切地反映了这一情况。刚到浦江镇一个在耕地上新建的村子，我们还没来得及完全收拾妥当，村民听说他们那里又要拆迁，于是立刻把我们"赶"了出去，全村集体加紧大范围增建新房，以获得更多的拆迁费。我们住的那户村民对我们恋恋不舍，说等他们再搬迁到新的地方，建的房子一定比现在的大很多，到时接我们和流浪猫回来住。他很守信用，两年后，他热情邀我们回去。我们留下了他们的新地址以备不时之需。再次搬迁是在光明村旧居委会没住到两个月，那里就租给了纺织厂，即使我们多出房租也不行，因为挨着旧居委会的唯一一个租给外来务工人员的民居和我们后窗的一片桃园就要变成一个化工厂了。我们没有反抗就搬了，因为光明村招商引入的全部是重污染企业，它们在"半夜"里排大量毒气，排水沟流的是泛白色泡沫的绿水。我们有经验了，租了西渡镇一个村民几乎都搬走的很老的老村，不幸的是两年后，那里又拆迁了，那里是我们辛辛苦苦建设的家园，于是我们反抗拆迁，不过后来，我们又搬走了……我们十几年的流浪生活，正反映了中国的反复拆建问题。

中国的工业占地量和工业污染造成了对土地不可恢复的破坏，对水资源的重度污染、过度枯竭性浪费，以及为解决就业和拉动内需的重复建设。暂且不提长远的经济损失和中国土地上的生存危机，近在眼前的就是对 2011 年伪通胀的推动问题。

建设"现代新昆明"的战略部署，几乎永久性毁掉了 2.6 亿人的水源，遍布全国的"现代新昆明战略部署"在 2011 年"生态通胀"中的"贡献"又是多少？"生态通胀"史无前例地出现在全球化下的中国。可以说有一双制造混乱的手，搞乱了各个经济领域。中国经济的起伏不定，让中国百姓不知所措。

第三章

煤电、石油做主中国经济

高耗能电解铝/光伏拉垮中国煤电

世代相传的丰美草原几乎被毁掉了，换来的是中国生产中的浪费再浪费、过剩再过剩的产能。2011年中国主要任务是全球抢煤炭、抢石油，但令人匪夷所思的是，中国实际上不缺煤，而只需要提高电煤价格。其实中国电缆厂的产能是世界需求的一到两倍，我们只要开工50%就能满足全球的需要，而中国电解铝工厂只要开工70%就能满足世界需求了。再过三五年，我们又要增加一倍产能，电解铝厂开工一半就能满足世界需求，这是政府主导的过度开发。

2011年这个春节，担负着吉林、辽宁等东北多个电厂煤炭供应任务的内蒙古霍林河露天煤矿，开足马力24小时不间断地挖煤，组织电煤生产，同时做好运输协调，保证上煤车辆随时上煤，随时卸车，提高了运输效率和破碎效率。

春节期间这个煤矿日产在 8 万吨左右。春节南矿上煤量每天在 6 万吨左右，确保露天煤业正常的装车和外运。不断接到的光伏订单和国际煤价上涨，使霍林河煤矿只能天天以如此高效的产能来满足市场畸形的需求。

2010 年以来，欧洲市场经济有些好转迹象，光伏电池和组件的订单又来了，促使中国资本对光伏电池和组件进行疯狂追逐。有 500 多家企业有 50 兆瓦以上产能，其中有 300 多家有 100 兆瓦以上产能。但是，电池和组件企业利润基本靠 17% 的出口退税维持。在这种情况下，中国单方面猛扩产能，而德国、西班牙、捷克、意大利等国纷纷削减补贴，让终端需求增速迅速放缓；另一方面，上游多晶硅坚挺的价格迅速上涨。

在这种国际形势下，短短一个多月，江苏宏宝、横店东磁、航天机电、东方日升、奥克股份等一批上市公司纷纷加码或者上马晶体硅片和太阳能电池项目，投资额 10 亿、几十亿不在话下。几天工夫，光伏就在中国大地迅速铺开。2010 年行业远超预期得火暴，主要是受德国、捷克、意大利等国家电价政策补贴下调预期的影响，需求方赶在政策转向之前大量进口。

表 1　增长中的中国光伏产业

公司	宣布日期	投资规模	扩产/投产产能	当前产能
东方日升	2010 年 11 月 9 日	8.3 亿	300 兆瓦	150 兆瓦
航天机电	2010 年 11 月 4 日	11.98 亿	200 兆瓦	150 兆瓦
横店东磁	2009 年 10 月	2.6 亿	横店 100 兆瓦	
	2010 年追加	3.16 亿	横店 100 兆瓦	
	2010 年 7 月	8.73 亿	横店 300 兆瓦太电池及 50 兆瓦组件	
	2010 年 11 月 4 日	3.53 亿	河南杞县 100 兆瓦及 13 万只坩埚	
	2010 年 10 月 15 日	10.97 亿	横店 500 兆瓦	
江苏宏宝	2010 年 10 月 15 日	1.75 亿	300 兆瓦及 100 兆瓦组件	

截至 2011 年 3 月，仅浙江省就有 176 家太阳能光伏企业，其中 78 家成立于 2010 年 9 月后。新加入的这些企业有 65% 都切入了组件环节的生产。

2010 年以来，光伏市场异常火爆，超出所有人预期，生产商订单持续爆满，光伏组件价格也持续走高。为什么中国光伏企业在海外可以获得如此巨大的订单呢？道理很简单，因为新兴光伏企业是全球最大的新兴"重工业污染之王"。值得注意的是，新增产能大多将在 2011 年底爆发，并将继续在 2012 年大规模爆发。而这些大型厂家和新来者还只是光伏产能的冰山一角。在各地方政府招商引资的背景下，2010 年以来各地以"新能源"和"产业结构调整"为概念狂热上马的大量产能，还在以"光伏产业园"或"光伏基地"的形式疯长。而在浙江省区区一个开化县，就集中拥有 57 家光伏企业。

面对有限的国际市场，中国企业争先恐后地扩张，全球光伏市场肯定迅速过剩。从 2010 年起，德国、西班牙、捷克、意大利、英国等国政府将大幅下调公共开支，大幅减少对光伏产业的补贴。这些政策对高度依赖海外市场的我国光伏产业是灭顶的。成本价高于欧洲市场价，未投产已先亏损。进入 2010 年，进口多晶硅数量猛增，各月同比增长均在 100% 以上。由于这么多电池和组件投产，加上半导体行业复苏对上游硅料需求也很大，2011 年很多中国光伏生产企业会面临没原料的问题。新上马的电池厂由于没有长期合同，硅料供应量更是难以保证。显然现在不是大规模进入光伏产业的时机，新进企业前景堪忧，可是企业还在趋之若鹜。对于 2011 年的过剩压力，光伏产业的业内人士都知道，尽管大家还在一股脑儿投入，但中国在欧洲光伏市场的占有率几近饱和，即使强力开拓新增市场，余地也不大。2009 年上半年光伏企业都亏损，可是因为大量的出口退税政策，让这些企业的报表异常亮丽，远远超过其他制造业。例如，东方日升公司 2009 年净利润为 1.09 亿元，应收出口退税 1.03 亿元。做个小学生的数学题：净利润 1.09 亿元 – 出口退税 1.03 亿元 = 公司盈利 600 万元。如果

2011年销量涨不上去，中国企业之间必然开展恶性竞争，必然导致价格进一步下滑，公司赢利模式完全靠出口越多则出口退税越多而努力扩张，对中国光伏生产地区的高污染堪比日本的核辐射，高耗能可以把内蒙古大草原变成人工沙漠。

德国电价补贴的减少，有可能并不会影响产能，是否影响产能取决于货币政策的走向。从另一方面来说，在目前全球货币政策不变的情况下，这些实际上过剩再过剩的产能还是可以立足，在过去几年的经验里，对个人来说，如果理智地分析产能过剩而不扩张是捞不到钱的，大家已经习惯有点利润就一窝蜂地上，一窝蜂地抢，这使过剩的产能暂时被消化。在当前的货币政策下，个人靠产能过剩是可以赚钱的，但这种消费是不可持续的。

光伏电池片制造企业的盈利除了出口退税以外，还要看欧元汇率的脸色。欧元汇率的变动将使国内电池片企业盈利大幅缩水。因此，2011年欧元走势对企业来说也存在很大的风险。

现在的问题是——第一，中国紧缺太阳能电池生产的原料多晶硅；第二，中国太阳能电池生产能力居世界首位。

中国是全球最大的太阳能电池生产国，但自己没有多晶硅的生产技术，大量依赖高价从国外进口，国内太阳能电池生产企业仅赚取微薄的加工费并付出不可想象的环境成本。这几年江西赛维、四川新光等一大批企业引进国外技术，纷纷上马多晶硅项目，由于不懂技术，中国多晶硅生产产量微薄而能耗和成本巨大，看似蝗虫般铺天盖地的中国多晶硅产业随时可能"覆灭"，而造成的"蝗灾"则是中国大地和中国经济不能承受的。

如此高的能耗，是否意味着这个产业应该限制发展甚至禁止发展呢？事实上，同样是高耗能产业，与中国钢铁、电解铝两大产业相比，生产多晶硅的能耗要远超生产钢铁和电解铝的能耗，这样，中国在2011年又将诞生一个超级能耗冠军。

由于我国多晶硅生产单位能耗远高于世界先进水平，这也使得我国多晶硅生产成本远高于世界先进水平。

目前海外七大多晶硅生产企业生产每公斤多晶硅的综合耗电量为120~150千瓦时，而我国多晶硅生产企业的平均水平超过200千瓦时，许多小厂甚至超过300千瓦时。而耗电恰恰是多晶硅生产成本中最主要的部分，我国多晶硅生产的高耗能现状，使得国内多晶硅生产成本远高于世界先进水平。

目前，国际市场上多晶硅一公斤的价格为60~70美元，国内企业生产一公斤多晶硅的成本多为40~50美元，而海外的成本为20~30美元。一旦海外七大集团集体降价，中国多晶硅生产企业将面临全线破产倒闭、整个产业沦陷的局面。多晶硅产业属于资金密集型产业，一次投入巨大，企业资产负债比率较高。以江西赛维LDK光伏硅科技有限公司年产1.5万吨多晶硅项目为例，项目总投资超过100亿元，其中仅环保投资就超过1亿元。中国光伏企业负债率超过60%，一旦企业破产倒闭，银行将承担巨额的贷款损失。

现在的问题是，中国光伏企业如果继续发展，必将在2011~2012年爆炸性地推动对中国电力的需求，2011~2012年中国对煤炭和柴油的需求将出现爆炸性的"井喷"。2011~2012年中国牛奶供应核心基地内蒙古也将因中国光伏企业对煤炭爆炸性的需求而被摧毁。

中国经济最终是否会缺少电力？如今中国是世界制造业基地。同时，中国经济增长的动能90%来自中国地产业。所以，同样的问题还有——中国地产业还有增长空间吗？现在，中国银行业有两块优质资产领域，一块是中国房地产领域，一块是中国地方政府债务。中国银行业手上这两块优质资产领域，有一个非常重要的性能——助涨或助跌。在助涨周期中，中国地方政府债务上升，必定极大地推动中国房地产价格上升，这就是为什么2009~2010年中国地方政府负债加速度上升中，中国房地产价格也加速上升的原因。如果进入助跌周期，也就是中国地方政府债务膨胀到恶化中国通货膨胀时，政府支出必定恶化中小企业生存空间，那样的话，我们最终会见到中国中小企业大部分破产，中国地方政府债务破产，同时引爆中国房地产崩盘。届时，中国电力将是过剩加过剩。所以，今天中国全力推动新能源建设，从人类环境出发是好的，但是在经济学中，这种政府推动的新能源建设 100% 是高成本工程。也就是说，事实是全球新能源建设目前在加速恶化全球环境。要改善全球环境，唯一可行的就是——大力或全力削减政府支持。因为政府支出越多，全球环境就越恶化。所以，中国目前的环境恶化，与政府越来越庞大的支出成正比。石油和煤炭就是 2011 年推升通胀之源，如果发改委以约谈食用油企业的方式急迫约谈中石油公司，恐怕中国的通胀不会爆发。

> 可以说2011年煤炭决定中国命运——足够多则产能过剩死，而不够多则企业倒闭死。

可以说 2011 年煤炭决定中国命运——足够多则产能过剩死，而不够多则企业倒闭死。

2006 年，中国还是全球排名第二位的煤炭出口国，但电力需求的增长拉动了火力发电的上升，中国对煤炭的需求强劲增长，煤炭出口国地位也随之发生了急剧变化。2009 年中国净进口煤炭 1.03 亿吨，第一次成为煤炭净进口国。

煤炭对于中国无比重要，至少在现阶段，煤炭的地位是任何一种资源都无法替代的。中国国家环保部一位高级官员在一次国际会议上表示："中国是目前少数煤炭在能源结构中占主导地位的国家之一。在全球主要能源结构中，燃煤的平均使用比例为 30%，然而在中国，这一比例却将近 70%。"

由于中国、印度等亚洲经济体对煤炭需求的大幅增长，亚洲煤炭需求的波动对南非煤价的影响力越来越大。2010 年前 7 个月，亚洲从南非理查兹湾港进口的煤炭约为 2 400 万吨，是欧洲进口量的 5 倍多；南非理查兹湾港对亚洲煤炭出口增加45%，而对欧洲的出口则滑落41%。就7月这个月，亚洲进口了452万吨煤炭，几乎相当于欧洲前7个月进口量的总和。南非出口亚洲煤炭的份额大幅增长，主要原因是中国和印度进口煤炭需求的快速增长。7月份，理查兹港煤炭出口量达到593万吨，同比增长约10%；其中，运往中国和印度的煤炭量占该港出口总量的42%。印度刚刚开始撕开用煤的口子，在煤炭、农产品以及各种资源上，印度这个正在崛起的人口大国是中国强有力的争夺者。

中国国内煤产量不能满足巨大能耗的需求，2011年中国的煤净进口预计将猛增63%，超过2亿吨。中国的煤炭净进口将从2010年的1.43亿吨增加到2.33亿吨。电力、光伏、钢铁和水泥生产商的巨大需求将使中国煤的需求量大幅增加。和2010年相比，2011年的需求增长7.3%，而煤炭的供应也将增长4.8%，达到33.8亿吨。中国煤进口不仅会大幅推高国际煤炭的价格，还会提高煤炭运费。2011年，中国煤炭合同的价格预计将上涨8%。

同时，根据印度煤炭部门的估计，2010~2011财年，印度将进口煤炭8 200万吨，比2009年增长39%。而2009年印度进口煤炭5 900万吨，较2008年增加了1倍。印度2010~2011年度炼焦煤和非炼焦煤总需求估计大约为6.537 1亿吨，同时印度国内的煤炭产量将达到5.723 7亿吨，其约8 200万吨的煤炭缺口需进口，这对于燃料安全"非常重要"。印度不断兴建大型火力发电厂，使印度煤炭需求增长迅速。印度还有40%的家庭没有用上电。40%对于印度这个人口大国意味着需要在国际市场上买多少煤？中国和印度因为煤炭会陷入举价竞拍的局面。如果中国的能耗达到日本的水平，中国不缺煤。煤本不是问题，然而政府参与其中就成了问题。煤占经济总量的比重本来微乎其微，对经济的影响并不是核心的，比如澳大利亚是煤炭大国、铁矿石大国，但不是经济强国，所以煤炭在正常的经济发展中是不会引起轩然大波的。过去中国政府增加了10万亿元的人民币负债，如果没有如此巨大的负债，中国就不需要这么多煤；而如果政府退出市场，中国也不需要这么多煤。政府在不停地干预经济，而现在煤的紧缺就是政府造成的，是没有市场竞争机制造成的。

　　进入 2011 年冬以来，山西省最大用电负荷达 1 732 万千瓦。但省内电力供应明显不足，最大电力缺口达 320 多万千瓦。2010 年底电力供应缺口达到 500 万~600 万千瓦，缺口占总用电需求的 20%~25%。"电荒"的原因何在？对火电厂来说，"没有煤＝没有电"是一个冷冰冰的道理。仅 2010 年一年大唐太原第二热电厂就"煤荒"四次，山西火电厂缺煤的现象普遍存在，"煤荒"就是各个电厂的困境。2010 年山西省煤炭总产量达到 7.2 亿吨，超越内蒙古。虽然煤炭产量创新高，但山西电厂就是没煤发电。市场化的煤近几年价格逐步攀升，而电厂生产出来的电在上网时的价格却多年未动，这导致电厂没钱去买市场价的煤。多年来，电煤实行的是计划调拨的供应方式：年初由国家有关部门或各省政府出面协调，组织煤炭、铁路和电力等系统专门举行煤炭订货会，签订一年的电煤购销合同。前些年，签订电煤合同的时候专门规定不管煤炭市场价格如何，为了保证电力生产，电煤价格要相对稳定。而随着近些年市场化后煤炭价格逐年攀升，煤企更愿意将煤炭放在市场上高价出售，原有的电煤定价机制被逐步打破，煤炭企业和电厂签订电煤购销合同时，"只定量不定价"。尽管如此，煤企供应电煤的积极性也不高，电煤合同的落实情况并不乐观。以大唐太原第二热电厂为例，2011 年年初该厂与山西某大型煤企签订了年供应 150 万吨的电煤合同，但到现在只兑现了 40 万吨，剩下的迟迟没有到位。本来不会发生的事情也会出现，政府在其中按自己的想象制定政策，人为破坏了市场自身的运行机制、破坏了定价体制，等于人为制造通货膨胀。通货膨胀在经济发展中是最严重的问题，给经济体带来的灾难可能是毁灭性的。政府在使出浑身解数顶住通货膨胀这个洪水猛兽的同时，却又一味地人为制造着通货膨胀。治理通胀的代价是高昂的、付不起的，为什么不能从合理定价体制的源头上下手解决？那样整个劳动生产率就会自动有序提高，就不会出现一边给自己浇油，一边给自己灭火的混乱。

没有电煤，电厂就得想办法到市场上买煤。为了降低生产成本，很多电厂不得不到煤价相对便宜的陕西、内蒙古等地买煤。目前，大唐第二热电厂日用煤量是 1.5 万吨左右，该厂现在一组装机容量 20 万千瓦时的机组就因为缺煤而停掉了。比"煤荒"更为致命的是，在电煤合同得不到落实，市场煤价格节节攀升的大环境下，自 2008 年以来，分布在山西运城、晋城、长治等地的火电厂，虽然分属华能、大唐等不同的电力公司，但几乎都出现了亏损。电厂连年亏损，电厂职工的收入也在不断下降。以大唐第二热电厂为例，前些年没有出现亏损时，算上工资和奖金，发电部副主任可以拿到 5 000 元，可如今即便完成所有任务，也只有 3 000 元，从事政工工作的人员则更少，工资加奖金才 1 000 多元。

山西省内遭遇"电荒"，而山西还担负着向全国其他省市输电的重任。有数据显示，2010 年前三季度，山西累计外送电量达 506 多亿千瓦时，同比增长了 17% 以上。虽然山西面临严峻的缺电局面，但外输电量仍超过全省发电量的 1/3。不仅如此，在冬季时，山西省内不少发电厂还承担着供热重任。大唐太原第二热电厂担负着太原北部城区很大面积的供热任务。据吴铭介绍，装机容量 30 万千瓦时的机组只有发电量达到 20 万千瓦时才有条件供热，装机 20 万千瓦时的机组发电量至少要达到 15 万千瓦时才能供热，可见"只有找到煤才能保证日常的供热"。然而因为缺煤，供热安全系数也受到了影响。煤炭充足的话，热电厂可以同时开多台机组供热，一个机组出问题了，就可以立即切换到另一个机组，可现在因为煤炭紧张，只能让一个机组运转供热，只能期望机器不出任何问题，现在已经到极限了。

2011 年 4 月 2 日，国家发改委下发约谈紧急通知，这次是关于电煤合同履约的，要严惩涨价，可事实上如果政府放开煤电价格按市场定价，中国煤炭的

> 如果政府放开煤电价格按市场定价，中国煤炭的产能足够应付中国的煤荒，中国的煤荒主要是电煤荒。

产能足够应付中国的煤荒。中国的煤荒主要是电煤荒。

在物价涨幅居高不下、煤炭紧张的情况下，国家发改委插手"计划煤"，也开始干预已经放开的"市场煤"。2011年4月27日这天上午，国家发改委价格司召开了一个小型座谈会，约谈了几家大型国有煤炭企业，主要针对保持市场煤炭价格稳定进行了沟通。自2011年以来，国家发改委不断约谈煤炭企业，干预重点合同煤的"市场煤"，并开始"干预"已经放开的"市场煤"。被约谈的几家煤炭企业，主要是向秦皇岛港口销售市场煤炭比较多的企业。秦皇岛是中国煤炭的主要中转站，其煤炭报价是国内煤炭市场的风向标。

产煤大省之一的陕西省成为继山西、河南之后第二批进行煤炭企业兼并重组、资源整合的煤炭主产省之一。2011年6月底前，陕西煤炭企业数从522家减少到120家以内。在急需煤的时候煤炭企业却大幅减少，且由陕西省发改委要求的省内供煤合同并未落到实处。陕西省当地文件对省内煤炭企业的电煤供货作了要求，但是2011年省内电煤供货合同迟迟未签，产煤大省省内电煤供应都不能得到满足。2011年3月，国有重点煤矿供应量也在全线大幅下降。如果政府对中国的煤炭放开，煤炭企业应有能力生产。约谈食用油企业的影响是小范围的，破坏的是中国食用油压榨企业及单一产业链，煤炭的约谈造成了一系列通胀预期恐慌性爆发，几乎破坏了中国经济运行的基础，对中国经济将是沉重的打击。中国是世界煤炭大国，如果不画蛇添足地管制，中国不会有电煤荒，没有电煤荒就不会有中国企业成本的提升和倒闭，就不会引发人为"伪通胀"、看上去的真通胀乃至大通缩。

进入2011年，中国多地出现"结构性缺煤"。4月份以来，湖南、湖北、江西及重庆等省市由于雨水减少，水电发电不足，火电压力增大。而这些省电煤供应同样不足。以前，河南、安徽等省主要为这部分地区提供煤炭，但随着这些省自身也变成煤炭净进口省，没有煤炭给鄂、湘、赣等中部省份了，它们也为买不到煤炭而无奈。现在从山西、内蒙古、陕西，河南等省向鄂、湘、赣等地调入的煤炭也要加到山西、内蒙古、陕西的头上，但是由于煤炭运输通道制约，内蒙古、陕西的众多煤矿只能按通道运量生产，中国缺煤好像已成定局。电荒、煤荒导致煤价应声而涨。4月份煤炭采购量明显多了起来。4月21~27日，秦皇岛港煤炭库存日均保持在560.1万吨，环比下跌5.16%，该港煤炭库存已连续7周保持下跌态势。海运煤炭网2011年4月27日发布了第28期环渤海动力煤价格指数，该期该指数综合平均价为每吨808元，环比每吨上涨9元，涨幅1.13%，再次创出该指数试运行以来的最高价格。如今该指数已连续6周保持上涨，每吨已整体上涨41元。上网电价每上调1分钱，可抵消电煤上涨20元。如果政府把电价定价机制还给市场，把对高耗能企业的用电补贴取消，市场怎么也不会有结构性电荒。"合同价格反映了亚洲电厂消耗的高热值煤炭供应紧张，主要原因是半年来澳大利亚的天气恶劣以及总体需求日益强劲，特别是2011年中国与印度的需求。"虽然2009~2010年度合同价格为每吨71美元，但电煤价格一直在上涨。2011年以来，澳大利亚昆士兰州不幸遭遇洪水，昆士兰这个世界最重要的电煤出口地电煤供应减少。洪灾导致流失了3 000万吨以上的煤炭产量，相当于年度总产量的15%。其他主要煤炭出口国（印尼、南非和哥伦比亚）的产量也由于暴雨减少。另外，由于火车车皮严重短缺，俄罗斯的煤炭输出受阻，欧洲煤炭价格又被推高了。2011年的电煤合约价格不断创新高，"看上去"更加加剧了中国抢煤的难度，将进一步全面推高中国通胀水平。

就能源利用效率而言，中国2004年的GDP占全球的4%，但单位产值能耗却是发达国家的3~4倍，主要产品能耗比国外平均高40%，消耗了全球原油的8%、电力10%、铝19%、铜20%、煤炭31%、钢材30%。中国单位GDP的能耗是日本的 7 倍、美国的 6 倍、印度的 2.8 倍（如图）。

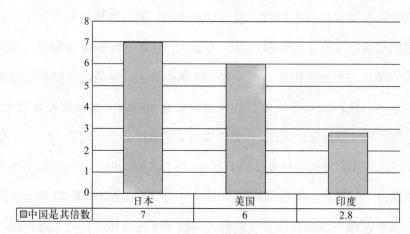

图 6　各国 GDP 及能耗关系

根据法国能源统计公司 Enerdata 的数据显示，2009 年中国每创造 1 美元的 GDP，需要消耗 0.28 千克油当量(油当量代表了某个区域所消费的所有形式的能源，包括油、电、煤、天然气以及其他新能源等)，这比世界平均水平高出 50%。

2010 年，我国一次能源消费量为 32.5 亿吨标准煤，同比增长了 6%；同年，我国 GDP 总量首次超过日本，但日本该年的能源消费总量是 6.6 亿吨标准煤。我国出口在 2010 年超过德国，而德国该年仅消费 4.4 亿吨标准煤。如果中国的煤炭利用率达到日本的水平，通胀即能得到控制，中国在 2011 年就不需要满世界买煤，中国自己的煤足够用。不在合理利用煤炭上下工夫，而在到处进口上下工夫，岂不是舍本逐末？

这两年中国加快建设，我国高速公路总长度已经达到欧盟 27 国的总和，高速公路密度也很高，东部地区达到了每百平方公里 2.49 公里，远高于欧盟和日本，是美国的两倍；中部地区是每百平方公里 1.59 公里，也高于美国和欧盟的平均水平。但这两年来建设的一些高速公路客货流密度严重不足，而且推升了

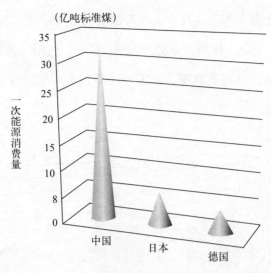

	中国	日本	德国
一次能源消费量（亿吨标准煤）	32.5	6.6	4.4

图 7　一次能源消耗量对比

中国城市化进程的恶性扩张。2009 年全国铁路基础设施建设投资 6 000 亿元，其中消费钢材 2 000 万吨、水泥 1.2 亿吨，用工达 600 万农民工。在铁路建设中，有 40% 的投资通过材料费、人工费等形式就地转化为当地消费，并带动机械、电力等相关产业发展过剩。高铁所到之处立刻推升当地的"城市"建设，增加了对电力、石油的需求。

2011 年，受各地程度不同的用电紧张局面影响，市场已对钢铁、水泥等高耗能生产企业产品价格上涨产生了强烈预期。业内人士预计，二季度，钢材、水泥等生产资料价格或再创新高。商务部数据显示，一季度钢材价格上涨约 17%，铁矿石价格上涨 40%，总成本上涨远超钢材价格的上涨幅度。2011 年 4 月 11 日~17 日，国内钢材价格比前一周上涨 1.3%。

"限电"也直接影响水泥企业产量，供求关系及价格会发生微妙变化。进入 2011 年 4 月份，全国水泥价格持续上扬，2011 年一季度全国水泥均价为每吨 387 元，同比上涨 13%。3 月末水泥价格为每吨 392 元，同比上涨 15%。同时，南京、南昌、上海、杭州、合肥、郑州、武汉、济南、福州等地区水泥价格同比涨幅超过 30%。这还是淡季，大家对旺季到来产生的预期也会进一步推高通胀。

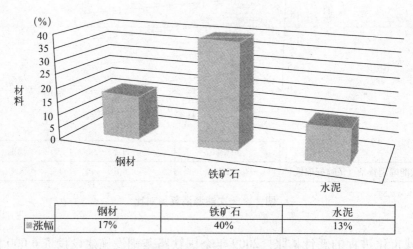

	钢材	铁矿石	水泥
涨幅	17%	40%	13%

图 8　2011 年第一季度材料涨幅

中国高铁建设，再配合 2011 年高能耗冠军中国光伏产能的集中爆发周期，显而易见，2011 年中国的任务就是全球抢购煤炭、抢购石油和抢购粮食。2011 年，最可行的办法就是大量高铁项目下马，大量中国光伏产能关闭。但同时，大量高铁项目下马必定使中国政府债务迅速恶化，而中国大量光伏企业订单已经被国外锁定到 2012 年了。如果中国拿出 100 亿~200 亿美元的外汇储备全球购买煤炭，这个夏天中国哪里都不会被拉闸限电，所有中小企业都不会因为限电而有订单不敢接。而这一两百亿美元不过是中国经济规模的 0.4%，外汇储备的 0.6%。把中石油 2011 年一季度的净利润拿出一半买煤，中国的光伏企业就都能满足。但这种情况可能吗？

中石化和中石油的考验

2009 年，中国成为全球第一大汽车产销国，超过了美国。2010 年中国蝉联全球汽车产销国第一名。2010 年前 11 个月，中国国内乘用车销量为 1 185 万辆，同比增长 31%，而美国同期所有类型汽车销量仅为 1 041 万辆。加上未公布的商用车销量，中国 2010 年前 11 月汽车销量超过美国 300 万辆以上。随着中国汽车销量不断攀升，中国市场在跨国汽车公司全球版图中的地位也相应提升。截至 2010 年 11 月，通用汽车中国销量达 217.24 万辆，超过了通用汽车美国本土销量，中国已成为通用汽车全球第一大市场。值得一提的是，2010 年前 10 月，我国汽车销量已达 1 467.7 万辆，超过 2009 年全年。同期美国汽车销量仅有 954.45 万辆，比中国足足少 500 万辆以上。

由于 2010 年夏美国墨西哥湾发生石油泄漏事件，以及民主党和共和党未就全球变暖立法达成一致，12 月 1 日美国内政部宣布，到 2017 年前停止发放在墨西哥湾东部及大西洋部分海岸近海开采石油地租赁许可，并强调注重近海开采的安全作业、科学评估、环境评估等。同时，对于世界上最大的天然气资源储量——美国北部宾夕法尼亚州的马塞勒斯页岩气而言，尽管投资者和科学家都对其充满了信心，但政治上的不确定因素仍然给它的开发带来了不小麻烦。这些政治举动让世界上其他国家的人或许看得一头雾水，在他们眼中，美国人的这些动作无异于经济上的切腹自杀。在宾夕法尼亚州，预算紧张，失业率居高不下，然而政治上的各种小动作却给本应注入该州经济甚至美国经济的强心针设置了重重路障。宾夕法尼亚州前州长伦德尔 2010 年 10 月底规定，禁止一切国有森林土地上的天然气开采活动。

近两年来世界气候风云变幻，极端气候及地质灾害频现，自然环境、地缘政治，考验着中国经济学家们。现在，或许看过本人 2010 年出版的《高等的文化控制》一书的朋友会有一个小问题：为什么在书中判断 2010 年 6 月前，美国必定完成对中国经济和中国资产价格的全面打击？因为每年的第一季度都是全球石油需求结构性高峰周期，以及中国地区农产品消费结构性高峰周期，所以发动进攻的天时地利是在 2010 年 6 月前。

中国的经济结构长期依靠政府大规模基础建设的投入运行。尤其是从 2008 年开始，中国政府基础建设的投入又进入了一场世界经济史中不曾有的经济大跃进。我国对柴油的需求一直远远大于对汽油的需求，所以历年来，中国一直都是柴油纯进口国和汽油纯出口国。2010 年这一局面发生了改变，中石油、中石化、中海油等石油巨头让中国成了柴油纯出口国。中国海关总署的数字显示，1~9 月份，我国纯出口了 270 余万吨的柴油，这相当于国内一年柴油总消耗量的 2%。问题是 2008 年中国巨量开工的基础建设要到 2011 年或 2012 年才可能大规模完工，2010~2011 年是中国史无前例的柴油结构性需求爆炸增长时期。所以，中石油、中石化、中海油把中国柴油大量用于出口，必然导致中国国内柴油供应紧缺，从而导致中国全面爆发柴油荒。一旦中国发生柴油荒，国家各部委必然会紧急命令这三个石油巨头加大产量，而在加大柴油产量的同时必然使汽油产量随之大幅增长，从而加剧中国汽油供应过量，使中石油、中石化、中海油的利润出现严重问题，而这个问题最终将体现在中国股市、中国财政赤字、中国通货膨胀恶化上。

截至 2009 年年底，中国原油一次加工能力由 2000 年的 2.76 亿吨猛增到 4.77 亿吨。21 世纪以来的 10 年，中国炼油能力激增 72.8%，中石化已成为全球第三大炼油公司，中石油位居第八。据国家能源局等相关部门预计，2010 年由于全国将新增炼油能力 2 000 万吨以上，成品油市场，包括柴油市场，总体仍将供大于求。

2010 年以来，中石油、中石化等企业开始为柴油产能过剩发愁。中国这个炼油大国产能是不可能紧张的。据国家统计局的统计，2010 年 1~9 月，中国柴油的产量同比又增加了 15%，前 9 个月产能是 8 900 万吨。现在中国民企的炼化能力大约是 1 亿吨，虽然有 1 亿吨的能力，但是分配的原料只有 5 000 万吨左右，民企只能通过下游的精细化工实现盈利，能供应市场的成品油有限。原料被控制、批发被控制，中国炼油民企在夹缝中残喘。

在某种思维的预期下，中石油、中石化这两大巨头为了消化大量库存，开始加大出口，甚至不惜低价向海外大量倾销。来自海关的数据显示，2010 年前三季度成品油出口 2 102 万吨，同比增长 23.4%。其中 9 月份成品油出口 209 万吨，柴油出口 36.81 万吨，同比增长 25.3%。同时，海关统计也显示，2010 年 9~10 月成品油出口均价在明显下降。早在 2010 年 5 月，中石油和中石化两大巨头以低于国内成品油税前价 10% 的价格出口海外，同时在国内一再谋求上调成品油价。大家现在应该能明白了，为什么 2010 年 9 月前，全球天然胶、棉花、糖、铜的价格都创出历史新高或接近历史新高（只有石油价格被美国华尔街严重压制在每桶 80 美元以下，离每桶 147 美元的历史高位还有不少距离）。遗憾的是中国抛出了 2011 年 6 月前最宝贵的大量石油库存。

每次写到美国华尔街高明至极之处时，我心里都很不是滋味。我们期盼着自己能吃一堑长一智，不要等到终于醒悟时资源也没了。无论谁在市场上大量抛出任何商品，此商品必然跌价，中石油大量抛出石油的时候，国际原油应声下跌，全球天然胶、棉花、糖、铜的价格都创出历史新高并接近历史新高，因为国际市场没有哪个国家在大量抛库存，反而都在争先恐后地买进，所以这些商品价格必然涨。在抗通胀的时刻大量抛出一切商品的命脉——运输、生产用油，让人匪夷所思。

2010 年 12 月初，石油价格每桶突破 90 美元。全球石油消费增速在 2010

年升至 30 年来的次高水平，全球市场正经历一场"需求冲击"。2010 年早些时候，用来在海上储存石油的大批超级油轮已经散去，陆上库存也开始显著减少。西方国家石油监督机构——国际能源机构（IEA）称，2010 年全球石油日需求量增长 230 万桶，为近年来的次高增幅，略低于 2004 年日需求量 300 万桶的增幅。全球石油需求已恢复到衰退之前的峰值水平，这是因为中国、印度、巴西、中东和新兴市场其他地区的强劲经济增长，提升了对石化产品、燃料油和柴油的需求，且发达经济体的消费和经济增长比想象的好，美国、英国和德国更是好于预期。

　　根据美国能源部数据，2010 年 9 月，美国石油消费创下自 2004 年 11 月以来的最大单月增幅，日消费量增加 91.3 万桶。德国消费者利用低油价重新储备取暖油，这也增加了需求。另外，还有日本和韩国 2010 年 8、9、10 月初的热浪这一原因，为满足空调用电需求，电力消费大幅增长，持续的炎热带来了对用于发电的残渣燃料油和原油的强劲需求。汽油消费大幅上升。因此，日本的石油需求创下 2007 年 9 月以来的最高同比增幅。就在日本需求飙升势头在 10 月末开始消退之际，中国的石油需求又出现急剧增长。中国政府对电力供应实行定量配给，因为它急于在 2010 年年底之前实现雄心勃勃的能耗和环保目标。电力短缺迫使企业启动以柴油为动力的便携式发电机，没想到加大了石油需求。国际能源机构曾估计，从 2010 年 10 月到 2011 年 2 月，柴油需求的飙升将令中国的石油日消费量增加约 7 万桶，相当于 81.8 万桶这一中国 2010 年全年日需求量增长预期的 8.5% 左右。中国炼油厂对这种由政策驱动的需求意外增长作出回应，纷纷在国际现货市场购买更多原油，这推高了中东和西非原油的升水。中石油、中石化、中海油三个公司购买石油影响力巨大的最好证明就是，沙特阿拉伯在 2010 年 12 月初宣布，2011 年 1 月，它将向购买其阿拉伯轻质原油的亚洲客户收取相对于迪拜地区基准原油的升水，金额为每桶 1.60 美元。这一升水是两年半以来的最高水平，接近 2007 年末创下的每桶 2.35 美元的历史高位。最后还有一个需求拉动因素来自欧洲。随着寒冷天气席卷西欧，巴黎、伦敦和柏林的气温降至冰点以下，取暖油和燃料油的消费都大幅增加。这些一次性因素共同促进了石油消费的大幅增长。

中石油、中石化及陕西延长石油、山东地方炼油企业纷纷采取控量销售柴油的批发策略，可以说中石油自导自演了 2010 年冬天绵绵无绝期的柴油荒。12月初，国家发改委要求石油、食品企业严格执行价格管制。但事实上，为了利润最大化，主流炼油厂未来仍将严格执行控量保价策略。为了更长期地享受到畸形暴利，主流炼油厂绝对不会轻易开闸放储。春节之前的春运高峰，必然诱发柴油需求热潮，这常常使柴油供应缺口在短期内进一步拉大，也符合主流炼油厂利益。几乎同时，寒冷的冬天虽然将使取暖用油需求量大增，但会使得诸多炼油装置不得不逐步展开防冻检修，这直接导致产量下降 30%。无论如何，中国春节之前看到非常充沛的柴油供应局面是不可能了。

中国中小企业上岸

2010 年夏天我在义乌时，结识了很多义乌的朋友。一位小饰品加工厂朋友刚刚熬过了"拉闸限电"对企业的冲击，正准备大干一场时却又突然发现，正当出口旺季的时期来自国外的订单好像突然间蒸发了。小饰品的出口订单并不会受到西方圣诞节的影响，每年年底这个时候都是企业"连轴转"的关口，可是 2010 年，他们的订单量下滑了 50% 以上。不仅仅是我朋友的企业，义乌很多经营类似产品的企业都出现了开工不足的情况。当前中小企业面临的危机已经非常明显，而且这场危机到 2011 年春节后更加猛烈了，甚至超过 2008 年金融危机爆发后对中小企业冲击的程度。温州的中小企业面临着和义乌同样的情况。噩梦从2010年10月份已经开始，为了完成"十一五"节能减排的目标，全国多个地区大范围开展"拉闸限电"，而身在浙江义乌的这个朋友也在这期间苦苦地煎熬。"当时企业'开一停一'，眼看着订单不敢接。我们现在已经把这个车间停下来，和另一家生产相同产品的企业联合加工，人力成本省去了一半。"温州75%的企业都有外贸业务，温州中小企业对于订单减少的压力也感觉非常明显，从2010年广交会上的订单情况就可见一斑，国内企业因为汇率、加息等因素，对产品下一步的价格举棋不定，温州代表团中的很多企业有订单也不敢接，而外商也不接受国内企业要求提高20%或30%的价格。看着自己已经停产的厂房，朋友感到既无奈，又无力挽回。而最让他担心的就是停工在家的工人今后还能不能回来。工资的上涨已经让这个业务量骤减的企业难以支撑每个月的工资费用。"现在只能尽量给更多停产车间的工人安排其他工作，不过很快就要过年了，年终的福利肯定是发不出来了。那些技术好的工人很可能去其他地方找工作了。"朋友说。而这样的状况究竟还要持续多久，他自己也不清楚，或许两到三个月，或许还要维持两到三年的时间。长远来看，目前的现象可能还只是前期的冰山一角，中小企业新一轮大面积的半停工、停工甚至倒闭，很可能在2012年春节后爆发，程度甚至超过2008年。"低碳经济的压力，已经让中小企业在几个月以来，生产活动不能正常进行。而人民币升值压力，让企业连2~3个月的订单也不敢签。"加息、工资上涨、原材料价格上涨，这些不利因素集中到一起，成为中小企业短期内难以跨越的大山。如果2011年人民币在年初的基础上继续升值的话，对于中小企业，特别是从事出口贸易的中小企业，将形成致命的打击。而目前看来，问题显然不仅是人民币升值一项，中国中小企业的先发性优势已经失去，制造业优势包括劳动力低成本的时代已经过去。而印度、巴西等新兴国家虽然相关的因素也在上涨，但是刚刚起步。中国制造业面临很尴尬的状况，如果还是按原来的路子发展，竞争力将进一步丧失。在本轮危机爆发后，我国产业结构调整已是大势所趋。希望能够给企业转型以调整时间和空间，希望中央和地方政府加大对中小企业的关注，尽快采取措施，这对预防2012年中小企业危机至关重要。

中国外围低成本国家的扩张也开始加速。2010年以来，随着全球经济止跌企稳和补库存订单增多，由于中国—东盟自由贸易区全面启动，越南鞋业趁机迅速扩张，运动鞋产值增加速度几乎赶上了中国这个全球制鞋老大。越南统计总局最新数据显示，2010年1~11月，越南运动鞋产值同比增长20.2%，高于越南工业生产平均增长水平。而据中国皮革协会2010年11月公布的数据，2010年1~10月，中国规模以上皮鞋企业工业总产值2 872亿元，同比增长23.4%。全球运动鞋大量订单都掌握在台商手中，最近几年台商的订单明显在往东南亚等地区转移，这主要是因为耐克、阿迪达斯等客户要求厂商不能过于集中在一个国家或地区生产，要分散经营，越南运动鞋订单增长很快，现在产能也逐渐逼近饱和，运动鞋订单又开始快速转向印度尼西亚、印度等国家。中国制鞋业面临高涨的劳动力成本、汇率的压力，有些力不从心。

东莞制鞋工人月薪都在2 000元以上，2010年，几乎每个制鞋公司一年工资成本上涨都高达30%，一年忙下来实际在为上涨的成本"打工"，一些鞋厂陆续倒闭和迁移。相比金融危机爆发之前的人声鼎沸，工人裁减多达一半以上，现在订单突然来了，但东莞的鞋厂没有再扩招工人，对不断下滑的利润没有动力扩大生产。2010年中国—东盟自由贸易区全面启动，鞋材从中国出口到东盟享受免关税，东南亚鞋产品也可享受零关税进入中国市场。而将出口欧洲的部分运动鞋生产线设在越南，主要是因为关税比从中国出口便宜。2010年7月，本人在义乌信联酒店与温州一个制造业工厂主王先生交谈，王先生笑嘻嘻地对我说："现在，企业在国内市场和国外市场同步发展，这样市场的风险就可以降低，今年国内需求不错，国外需求一般，准备在 10 月份扩大经营规模。"我对王先生说："你最好在半年之内保守经营，应该大量握有现金资产。"交谈结束后，我们笑着握手再见。望着王先生离去的背影，我在想他是否知道现在这一刻大量握有现金资产将是他人生当中最重大的转折点？

2011 年以来，我的义乌朋友们纷纷说丧钟已为他们敲响，他们现在严重断电，因为全国结构性缺电。浙江 2011 年一季度限制 50 多万户次企业用电，广东已着手安排八大类高耗能产业错峰生产。1~4 月本是电力供需的淡季，而各省用电紧张的加急预报让外界对于夏季用电高峰备感焦虑。2011 年初，经历了 2010 年因减排目标限制而减少生产的高耗能企业开始复工，加速了前三季度用电量的增加；一季度化工、建材、钢铁冶炼、有色金属冶炼四大重点行业用电量合计 3 512 亿千瓦时，仅少于历史最高水平的 2010 年二季度。经济的高速运转，节能减排限制后的强劲反弹，让本来的电力供应淡季变得复杂而紧张；一季度全国基建新增火电 1 001 万千瓦，比 2010 年同期少投产 268 万千瓦。特别是进入 3 月份后投产规模减少较快，其中华东区域新增供应能力较少，占全国的比重下降至 4.27%，"华东区域在需求旺盛的情况下，加剧了该区域发电生产能力短缺的情况。受前期投资结构不断调整影响，预计火电投产规模将小于预期，全国基建新增装机调低到 8 500 万千瓦左右"。

金融世界是伟大的吗？或许是违反常识才创造伟大。较高的利率水平和再融资风险将很可能推动 2012 年和 2013 年欧元区市场上出现"第二波违约"浪潮，尤其是在杠杆收购交易中更可能出现违约现象。2012 年欧元区市场上 12 个月违约率最高可能会上升至 7.5%，比截至 2011 年年底预计将会达到的 4% 上升近一倍。在此之前，欧元区市场上 12 个月违约率曾在 2009 年第三季度触及 14.8% 的高点。欧元区市场上违约率可能大幅上升的原因在于，"B-"和"CCC"评级的债券规模在迅速增加，也就是大量评级不错的债券在 2010 年迅速变成垃圾债券。在欧洲这一市场上，大量业绩较为疲弱的垃圾级公司共有 2 290 亿欧元(约合 3 020 亿美元)的杠杆贷款将在 2015 年 12 月以前到期，而这些公司可能会面临无法进行再融资的困境。同时，杠杆过高的资产负债表和与利率上升环境相逆的跨期按金很可能将会带来更多重组活动，因此，欧元区市场上很可能会出现第二波违约浪潮，这种违约现象主要会出现在杠杆收购交易和债券品质重新定价中。

今天，全球金融世界的胜利者已经诞生。相较于欧洲同行，美国银行业者的债券目前差不多达到史上最安全的水平，其信用违约掉期（CDS）第一次一反常态地低于欧洲同业。花旗集团、摩根大通等 6 家美国知名大型银行的信用违约掉期已经低于 Markit iTraxx 金融指数所涵盖的 25 家欧洲银行及保险公司。美国银行业者的信用违约掉期比欧洲银行少 12.16 个基点。而在 2008 年 10 月金融海啸高峰时，美国银行业者的信用违约掉期比欧洲银行高出 341 个基点。花旗集团、摩根大通、美国银行、富国银行、摩根士丹利、高盛的信用违约掉期平均价格从 6 月 10 日的 11 个月高点 198 个基点跌到 135.21 个基点，而它们欧洲同业的信用违约掉期为 147.37 个基点。美国银行业者信用违约掉期以往通常高于欧洲银行。由于希腊及爱尔兰先后因债务危机请求援助，欧洲银行业的信用违约掉期因此走高。反观美国，美联储主席伯南克在支撑美国经济及银行业上略有所成，美国银行业因此受惠。此外，美国财政部全数出清了对花旗集团剩下的持股，并为纳税人实现 120 亿美元的毛利润；美国国际集团（AIG）也已经表示，将偿还美联储的借款。这些都令市场对美国银行业的信心增强。国际评级公司穆迪自 2011 年一季度至今已经调高美国 37 家投资等级金融业者债信评级，调降 19 家，调高对调降比率为 1.95 ：1，是 2008 年三季度以来最高。而在欧洲，穆迪调高了西欧 5 家金融业者债信评级，调降 16 家。同时，美联储的第二轮量化宽松货币政策和美国就延长减税优惠计划达成了初步协议，美国国债收益率的上扬令美国银行业者借贷和交易的利润上升。

由于欧洲主权债务危机日渐扩大，欧洲银行业者最近纷纷将目光转向美元债券。法国兴业银行分三部分发行了20亿美元债券，收益率接近这家法国第二大银行3个月前类似交易的水平，当时爱尔兰债务危机尚未冲击信用市场。而汇丰发行的10亿美元债券，是逾一个月来欧洲银行在美国首件标准规模的发债。美国的金融大布局已经完成，现在，美国核心层唯一的任务就是——拼命推高全球通货膨胀的预期。全球通货膨胀预期上升，必定使美国长期债券收益率上升，这样必定使欧洲市场债券价格暴跌引发美元暴涨；同时也必定迫使中国中央银行猛烈加息，促使中国股市和中国楼市大崩盘，中国企业和中国地方政府大规模破产。

> 美国的金融大布局已经完成，现在，美国核心层唯一的任务就是——拼命推高全球通货膨胀的预期。

2010年12月初，我和温州的制造商王先生通了一次电话，电话中王先生的语气明显缺少了几个月前的轻松，王先生说："因为人民币升值和原材料价格大幅上升，现在是做一单，赔一单，即使不做，企业的成本也比以前上涨了30%。"王先生是市场中非常微小的一个"单一分子"，但是他反映出中国东莞地区和温州地区私营企业的共同现象。东莞地区和温州地区是中国制造业的核心基地，它们现在共同被"人民币升值＋原材料价格上涨＋运营成本上升"逼到了生存危机中，在这种环境下，中国的私营企业会发生同步释放的反向需求，也就是中国的私营企业会同步进行裁员和债务结算。中国的私营企业规模在全球市场中是比较小的，从资金规模和人才技术的水平来看，中国私营企业的产品生产能力周期为15~30天，而美国跨国公司的产品生产能力周期可以控制在7天以内。所以，中国私营企业要生存有很大的压力，中国私营企业的生存环境，在过去10年中从来没有出现过"人民币升值＋原材料价格上涨＋运营成本上升"这三个问题同步出现的情况。

这就像让一个长期不锻炼的人第一天就跑一万米,这样的结果大家都知道,不是重病就是重伤。中国私营企业的体能在全球是非常轻量级的,中国中央银行现在让中国私营企业去承受美国跨国公司这样全球最重量级"选手"都不可能承受得住的重量,2012年中国经济和社会会怎样呢?

我不是研究中国史的人,有时看一些中国历史,只是为了从中国文化和中国思维中更好地理解今天中国经济运行的规律。这里浪费一些时间谈谈明朝袁崇焕这个人。中国现在谈论袁崇焕的书,不是把袁崇焕捧得很高,就是把袁崇焕批得很差。我一直想谈谈袁崇焕这个人,因为中国至今没有人理解袁崇焕的大脑。袁崇焕不是普通人,所以普通人未必理解他大鹏展翅那一瞬间的宁静。

崇祯二年,袁崇焕打退皇太极的渡河进攻,上书崇祯皇帝说:宁远已经没问题,只要把遵化这个地方设一团练总兵就能平安。崇祯没有智慧判断袁崇焕的话是否正确。当年10月,皇太极果然攻下遵化进到北京城下。袁崇焕时刻准备着赶往北京救驾,早有部署,后金军在广渠门外再次败在袁崇焕手上。袁崇焕明白虽然他能在宁远用几千人杀退后金几万骑兵,击毙努尔哈赤①,但是明朝的现状是撑不下去了,他的胜利完全是个人拼命孤注一掷的意外胜利。万历初年,明朝的正常年税收是白银四五百万两左右,自努尔哈赤不停进攻和李自成农民起义以来,国家财政迅速陷入严重危机。袁崇焕统率的明朝辽东大军经常处于没有粮饷的地步,甚至因此发生了士兵哗变。明政府虽强征暴敛到了2 000多万两白银,但饥民遍野,李自成领头起义,开仓赈济饥民,远近饥民蜂拥而至变成起义大军。可见,明朝那时内忧外患,处于军事上最不利的环境——二线作战。袁崇焕在战略上极力主张和后金议和,因为没有实力再打了,可是,谁都明白的道理却没人去开这个口,就像大家都知道光伏产业的不利影响,可

---

① 对这一说法史学界尚有争论。——编者注

是大家还是在兴奋中争相投入。明朝的官员都多一事不如少一事，不愿意站出来提出显得自己没有气节的话，袁崇焕为了明朝还能活着的大战略，在明朝还未被彻底耗死之前，杀毛文龙，抓紧时间逼崇祯议和。袁崇焕杀了毛文龙三个多月之后，终于盼来了后金军打到京都，但直逼崇祯议和的愿望没能实现，却换来了被民众片着吃的命运。明朝百姓吃了袁崇焕不久，明朝的40万大军在努尔哈赤6万人面前自行"解散"。

在"一战"和"二战"中，德国军队的实力并不逊于对方，但是德国军队因为每次最终都陷于"二线作战"的可怕作战环境而失败。"二线作战"必然要产生两套重复配置和供给体系，这在经济学上是严重的失效。当然，当时的袁崇焕肯定不知道"失效"这个词，袁崇焕知道后金努尔哈赤勒索提出的每年100万两白银议和费，对明朝是合适的。后金的统治者在李自成攻陷北京城前，根本就没有想和明朝长期作战乃至侵占中原大地，因为如果单独长期较量，后金努尔哈赤和李自成最终都不是明朝的对手。所以，袁崇焕的战略主张是先和后金努尔哈赤议和，消灭掉李自成后，再集中兵力对抗后金努尔哈赤。但是，明朝重臣们极力反对和后金努尔哈赤议和。骂袁崇焕的人指责袁崇焕的一大重罪是，当时后金皇太极入侵，袁崇焕从关外星夜赶往京城，本应在京城以外的通州地面和后金军队决战，但是袁崇焕却故意放后金皇太极重兵到北京城下，并极力向崇祯和其他大臣渲染后金如何强大，如何势不可当。后金皇太极千里奔袭，不可能携带大规模攻城器械，所以北京城不可能真的有危险。从袁崇焕的战略思想来看，袁崇焕杀毛文龙以及袁崇焕故意放后金皇太极攻到北京城下，意图只是在最后逼明朝重臣们和后金皇太极议和。因为袁崇焕知道明朝无法对抗二线作战。结果，明朝最终亡在李自成手上。袁崇焕是有赌徒个性的军事统帅，他的战略意图其实明朝是有能力实现的，那就是最终消灭努尔哈赤。一个军事统帅的基本素质就是知道什么战争可以打赢。袁崇焕所做的只是为了明朝打赢战争，杀毛文龙就是诱引后金皇太极千里奔袭，后金皇太极当时的胃口只是每年要 100 万两白银。所以可以说，是明朝的重臣们和 5 年以上的低温天气亡了明朝。

低通货膨胀是经济发展下去的唯一目标，只有通货膨胀长期稳定，企业才可能形成创新环境。通货膨胀稳定的重要环境就是小政府，大市场。也就是经济中绝对禁止政府参与，因为政府的参与会形成通货膨胀上升和中小企业大面积亏损的构架。

> 低通货膨胀是经济发展下去的唯一目标，只有通货膨胀长期稳定，企业才可能形成创新环境。

比如，一个地方经常发生抢劫银行的案件，这个地方的政府就会大规模增加警察和装备，这时这个地方的 GDP 就会加速度上升。这叫银行抢劫推动 GDP 上升。

再比如，地方政府建造一个电解铝工厂，这个地方 GDP 就会因此上升。中国地方政府的考核机制 90% 是按照 GDP 上升的速度来评比的，所以，我们可能会面对几千个电解铝工厂同步开工。

2009~2010 年，中国经济为对抗 2008 年世界性大萧条，中国地方政府债务增长了 10 倍；中国银行业新增加信贷达到中国经济规模的 50%——20 万亿人民币。所以，现在中国电解铝工厂新开工在 2009~2010 年达到 2 000 万~3 000 万吨规模，这些新增加规模将在 2012~2015 年投入中国市场。问题是，中国 2010 年电解铝产能为 2 300 万吨，开工率不足 70%。到 2012~2015 年，中国电解铝产能将达到 4 000 万吨，届时，我们电解铝的开工率会不到 50%。

维生素 A 将是中国产能第一个突破开工率不到 50% 的产业。目前，全球维生素 A 需求约为 10 万吨，2012 年中国维生素 A 产量约为 20 万吨。就是到 2012 年，全世界人全部使用中国制造的维生素 A，中国企业的开工率也只能是 50%。现在，中国电解铝工厂和中国维生素 A 工厂都在亏损中挣扎，而不断进入的新产能只能引发电解铝价格和维生素A价格崩盘。

现在我们大部分人面对的是中国银行业和中国地方政府通过大量土地投入和大规模信贷投入，来把中国预期账面利润做大，把坏账缩小。

2002年年底，美国美林公司的资产杠杆率是17倍，到了2007年是26.2倍。而同期雷曼兄弟公司的杠杆率从15倍上升到31.7倍。2008年，美林和雷曼兄弟公司破产，美国全部民众承担经济危机，而美林CEO（首席执行官）赚了2亿美元，雷曼兄弟公司的CEO赚了3亿美元。

早在2005年，芝加哥大学金融学教授拉古拉姆就指出，全球银行家和交易员的薪酬制度，必将鼓励他们选择风险高的交易机会和扩大资产杠杆比例，这将导致世界金融体系变得非常脆弱。

美国的游戏规则是，美林CEO和雷曼兄弟公司CEO只要把公司风险拼命做大，就可以发财。那么美林和雷曼兄弟公司的风险谁来承担？对于导致美国金融机构破产的美林CEO和雷曼兄弟公司CEO来说，答案是"天知道"。

中国银行业和地方政府现在大量的土地投入和大规模信贷投入，推动了中国GDP高速增长，但是，2011年开始的中国制造业产能恶性过剩和中国银行业杠杆率风险极速上升的后果谁来承担？

现在，对于中国经济问题的现状，美国华尔街远比中国中央银行和中国经济学家们了解得清楚。所以，为了加速度推进中国经济崩盘，对美国来说，大规模投资中国互联网是一笔好买卖。

第四章

互联网影响下的经济

互联网火并传统商业

在 2010 年的最后 3 个月，中国企业到美国实施的IPO（股票首次公开发行）突然都得到了批准，IPO数量及融资企业估值之高，都是创纪录的，发行市盈率超过 20 倍的有 6 家企业，其中还有 3 家超过 60 倍。2010 年第四季度，有 12 家企业登陆美国股市，融资总额达 14.80 亿美元。相比第三季度提高50%，环比提高 85.3%，无论IPO的数量还是融资金额都达到 3 年来的最高水平。优酷这种网络公司，其股票受吹捧度高过当当网，好像在告诉市场，只要企业有些质量就可以得到吹捧，而对优酷的吹捧就是为了吸引更多的资金争相进入中国的IPO。这些钱会让已经炒得很高的商业股炒得更高，以直接推高中国通胀，加大中国货币紧缩政策的调控难度。这时美国的资金投入不再是为了在IPO市场上的获利，而是整体战略的一部分。

是惊喜还是陷阱？当当网和京东商城在2010年下半年获得美国华尔街的追捧，那时中国正好开始通货膨胀。当当网经营了10年，为什么2008年、2009年美国人不要，到2010年下半年却受到热捧？2010年下半年中国物流仓库租金到现在上升了30%~50%。经济分三部分——生产、物流和消费。通货膨胀也分三部分——生产、物流和消费。推高物流成本，必定推高通货膨胀，接着是消费下降，再接着是生产恶化。

2010年12月9日优酷网和当当网在美国同时上市，大受投资者追捧。优酷网股票开盘价为每股27美元，比发行价12.8美元高出110.9%。当当网股票开盘价为每股24.6美元，比发行价16美元高出53.1%。

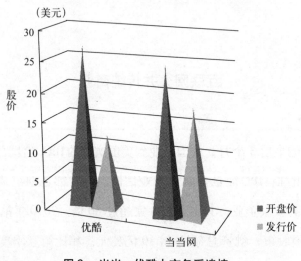

图9　当当、优酷上市备受追捧

投资者永远希望找到成功的公司。亚马逊是有自己的高科技内涵支持的，云计算技术极大地改变了企业软件领域的用户需求和市场格局。亚马逊网络服务为亚马逊开发客户提供了基于其自有的后端技术平台、通过互联网提供的基础架构服务。利用该技术平台，开发人员可以实现几乎所有类型的业务。亚马逊网络服务提供的服务包括：亚马逊弹性计算网云、亚马逊简单储存服务、亚马逊简单数据库、亚马逊简单队列服务、亚马逊灵活支付服务、亚马逊土耳其机器人以及 Amazon CloudFront。

当当网CEO李国庆在美国表示，当当上市以后，将随时应对一切价格战，"对一切价格战的竞争者，都会采取报复性的还击"。当当网在资金充裕的情况下，在图书、百货、物流、营销和市场方面和京东商城展开全面的竞争。为了抑制通胀，要B2C（商家对客户）不要火并，这是一个不可能的伪命题，因为它们生存的环境和存在的基因注定了它们的行为必定加大中国的产能过剩。产能严重过剩这一问题已经成为中国经济的一个标志性基因。

当当网上市、京东商城融资，会带来什么后果？那就是新一轮的价格战、服务战、圈地战。2011年对于中国电子商来说就是抢风险投资、抢地盘、抢用户，一些没有拿到美国钱的B2C公司也必须加入价格战或者倒闭。中国参与2011年这场B2C大战的企业除了互联网公司当当网、京东商城、凡客等，还有苏宁、国美，甚至海尔、海信这样的传统品牌企业。中国B2C电子商务企业在兴奋中角逐，美国在这个时刻选择对中国商业领域撒"兴奋剂"，正是它的布局。实际上，除了沃尔玛外，C轮融资还有另外6家公司投资京东商城，京东商城C轮融资5亿美元，超过了当当网与麦考林两家上市公司融资额之和。

2010年中国电子商务全行业融资额高达10亿美元。2011年中国B2C行业更多风投进入，更多创业者进入，将形成互联网泡沫以及web2.0以来第三次创业与投资热潮。

2010年5月，刘强东宣布，京东商城将投资6亿~8亿元在北京新建一个占地30万平方米的亚洲最大电子商务物流中心，满足日处理10万单，年销售额超200亿的需要。京东商城还在上海、广州、成都、武汉四地建仓储中心。按照京东商城的规划，未来三年京东商城将在全国建设20~40个大家电的仓储中心。

现在的电子商务打的不是表面的价格战，其实质是增加投资引起的相关经济体价格的上升，直接推高中国的通胀。电子商务在中国的经济体总量中所占分量很轻，但是各个领域的众多"很轻"最终会汇集成海啸。

2011年是中国中央银行大幅紧缩货币政策时期，2010年被美国资本拼命喂饱的中国互联网，将"杀掉"多少中国传统商业？在这个特定时期，这是美国毁灭中国民族产业的又一手段。海外上市本是一件利国利民的好事，但却因为美国的布局而可能危害中国的总体利益。这是一个美国设下的怪圈吗？

2011年3月15日这个消费者标志性的日子，当当网和京东商城又开始了新一轮的火并。它们的价格战是中国电子商务竞争和发展的重要手段，当当网不仅要打，还要持续打三年。这将是一场在美国资金注入中毁灭的闹剧。

我们看到美国资本对中国产业的大规模渗透，这种大规模渗透的确为中国劳动生产率的大幅提高带来了积极作用。但是，大家都知道，今天中国经济的严重问题是产能恶性过剩和产业恶性竞争。所以，我们必须理解中国劳动生产率现在加速度上升的资本收益是属于美国资本的，而加速出现的进一步产能恶性过剩和产业恶性竞争属于中国。当当网和京东商城的价格火并，正带给中国制造业和商业体系进一步恶性竞争，而当当网和京东商城的主要投资者却是美国资本，那么，我们还应该感谢美国资本的"良心"吗？如果2011年美国跨国公司和美国金融部门手上没有囤积的超过3万亿美元的现金，我就不必谈什么美国资本了。因为当一个经济体加速出现进一步产能恶性过剩和产业恶性竞争时，这个经济体最终必定会出现资产价格大崩盘的情况，这一点美国经济1929年的大崩盘就体现得清清楚楚。所以，美国华尔街掏出几十亿美元捧红当当网和京东商城，是否是为了中国资产价格大崩盘后，使那超过3万亿的美元现金可以非常廉价和合法地变身为"白马骑士"来"救助"中国资产？一个中国非常成功的科技投资者，实在按捺不住，提出优酷网从来就没有赢利的记录，为什么美国投资者会"傻瓜"一样疯狂抢购？更可笑的是，有时候同一部电影上优酷网要付费，而到"暴风影音"却是免费。如果我们站在美国囤积的 3 万亿美元这个角度来看美国对当当网、京东商城、优酷网、百度的热捧，美国战略的目的就非常清楚了。不要忘了，清朝时，洋人大量卖军火给曾国藩，也拼命卖军火给洪秀全。不是洋人们加速推动当时中国的国内火并，随后的甲午战争惨败可能就不会出现。历史在今天会不会重演呢？

美国资本市场全力推进经济

奥巴马政府推动的美国财政的减税和伯南克的美国量化宽松货币政策，是美国资本市场疯狂推进美国经济，开始全力总攻的号角。2010 年的美国科技企业 IPO 突然上升到 45 起，2009 年只有 16 起。美国股市平稳上升，为 IPO 市场添加了新的保障，无论是市值还是数量，都将增加 20% 甚至更多。美国团购网站 Groupon（团宝网）计划于 2011 年底进行 IPO，Groupon 价值只有数十亿美元，但是很热门。这样的公司在 2011 年的美国又会出现多少呢？

2010 年下半年美国的 IPO 市场和股市都开始回升。上市的科技企业股价已经较发行价平均上涨了 50.3%，其中有美国电动车制造商 Tesla（特拉斯）这样的知名企业，但更多的是名不见经传的小盘股。美国软件制造商 RealPage 2010 年 8 月上市，股价目前几乎已经翻番；美国 3D 技术公司 RealD 2010 年 7 月上市，现在的股价也已经上涨了 60%。

美国还有 22 家科技企业计划进行 IPO，包括网络聊天服务提供商 Skype，其发行规模预计将达 10 亿美元。Groupon 或 Facebook 等互联网公司已经拥有数十亿甚至上百亿美元的估值，其股票在二级市场的需求也非常强劲。

如果 Groupon、Facebook 或是与之类似的企业能于 2011 年上市，那将给该行业带来巨大影响。Facebook 现在已经拥有超过 5 亿用户，其中每人最多可以有 5 000 个朋友。这是一家私营公司，因此公司拥有者的人数比起上市公司无疑少得多，但这也保证了他们不必像上市公司那样公开自己的业绩。然而，为私人持有的 Facebook 公司股份提供交易机会的影子市场却在迅速膨胀着，这就使得公司受到了日益强烈的刺激，哪怕公司的管理层一直在努力打压关于他们 IPO 的推测，但是，就像当年上市前夜的微软和谷歌一样，这种刺激是他们很难抵挡的。Facebook 以及 Twitter（推特）、Zynga 和 LinkedIn 等私营公司股份在影子市场上狂热交易着。

2010 年，Facebook 在谷歌最弱的领域——在线身份和社交网络方面对谷歌发起了挑战。谷歌三季度财报显示，当季净利润同比增长 32%，受此影响，谷歌当日股价上涨 9%，次日开盘时，股价上涨 10.5%。谷歌首次在电话会议上公布显示广告及移动广告收入：显示广告收入达 25 亿美元，移动广告收入达 10 亿美元。显示广告 25 亿美元收入中包括旗下视频网站 YouTube 广告、DoubleClick 平台广告等；移动广告 10 亿美元收入，主要通过谷歌 Android（安卓）手机操作系统及其他平台渠道获得。受股价上涨的推动，谷歌市值达 1 916.9 亿美元，接近微软的 2 210.1 亿美元。如果两家公司股票数保持不变，微软涨跌不明显，谷歌只需再涨 16% 左右即可超过微软成为全球科技股市值第二大公司。目前全球科技股市值最大的公司为苹果公司，其市值约为 2 875.3 亿美元。

在 2010 年 5 月 26 日这一天，苹果公司以 2 213.6 亿美元的市值，一举超越了微软公司，成为全球最具价值的科技公司。而 7 年前，苹果公司的市值只有 60 亿美元左右。苹果公司用 7 年时间，使市值增加了近 40 倍。乔布斯给企业带来了什么样的商业模式和企业文化？ 1997 年，乔布斯回到了他亲手创立的苹果公司，当时的苹果公司市值不到 40 亿美元。乔布斯回到苹果公司做的第一件事情就是重新塑造苹果公司的设计文化，推出了 iMac，让苹果电脑重新成为"酷品牌"的代表。

2001 年，乔布斯推出后来创造了奇迹的 iPod，进入音乐播放器市场。从 2003 年 3 月开始，苹果公司的市值终于开始飙升了！2003 年苹果公司发生了什么事情呢？那一年，苹果推出了 iTunes，这是苹果公司历史上最具革命性创新的产品，推动了苹果公司市值的快速飙升。2007 年，苹果公司发布 iPhone，掀起了一场手机革命。我们再来看看苹果公司在商业模式方面的创新——正是在商业模式上的不断创新，才使苹果公司最近 7 年来发生了脱胎换骨的变化，表明商业模式的创新远远超越了产品创新的作用。苹果公司在市场份额上呈现出不断上升的趋势，靠的是在科技上的胜出。苹果平板电脑在 2011 年继续展开向笔记本电脑和上网本市场的进攻。美国采购 iPad 政府办公，以提高国会办公的效率。2011 苹果公司的 iPad 将继续 2010 年火热的销售态势，其在全球平板电脑市场上的占有率将升至 80%~95%，而销量也将突破 5 130 万台。

再说说食用苹果对中国通货膨胀的影响。由于作为原料的浓缩果汁价格 2010 年上涨高达 80%，业内人士曾预测，2011 年二三月将会迎来果汁饮料行业的集体涨价潮。国投中鲁果汁股份有限公司总经理庞甲青表示，2010 年全球水果产量下降，加上资本的炒作，使得作为浓缩果汁原料的苹果、柑橘等价格大幅上涨，再加上鲜榨成本的增加，使浓缩果汁价格较 2009 年同期涨幅高达 80%。据悉，国投中鲁以生产浓缩果汁为主要业务，为可口可乐、百事可乐等全球各大饮料生产商提供果汁饮料的原材料。庞甲青表示，果汁成本的上涨确实为下游的果汁饮料生产企业带来了很大的生产压力，下游企业通过提高产品价格缓解压力也在意料之中。"可口可乐美汁源产品的果汁含量为 40%，而汇源果汁作为国内高浓度果汁的龙头企业，部分产品果汁含量达 100%，受生产成本上涨的影响将更为严重。"

事实上，我更关注美国苹果公司对中国通货膨胀的影响。随着美国苹果公司股价的持续上涨，已经开始对整个市场产生了更大的影响。在标准普尔500指数中，苹果公司是仅次于埃克森美孚的第二大权重股；在纳斯达克100指数中，其权重甚至超过了20%，相当于微软、谷歌、甲骨文、思科、英特尔、亚马逊和RIM（捷讯移动科技公司）的总和。这就意味着，苹果公司每涨跌1个百分点，对纳斯达克100指数的影响都远大于另外6家科技巨头同等涨幅的影响。换句话说，市场情况和指数很大程度上要取决于苹果公司股价的上涨或下跌。

虽然我不是很喜欢苹果公司的产品，但是苹果公司文化却是一种新商业模式。在中国上海、北京和苏州的咖啡馆，30岁以下的年轻男女，基本上都在使用苹果电脑、苹果手机或苹果音乐播放器。美国弗吉尼亚大学生对苹果操作系统也很喜欢，因为苹果操作系统是不用担心黑客和电脑病毒的。用了微软的操作系统之后，或许你仍会用苹果操作系统。而在会用苹果操作系统后，你不会再用微软的操作系统了。最重要的是，苹果公司手上有250亿美元现金，2011年全球平板电脑市场上苹果公司占有率将升至80%~95%，而销量也将突破5 130万台，另外，2011年全球平板电脑的出货量将大涨237%。

2010年3季度末iPad的销售量为750万台。iPad销售占苹果公司毛利率的40%左右。iPad应用的销售毛利率大致为30%，歌曲销售的毛利率为10%，这两部分的销售每日可高达3 000万美元。假定iPad在2011年的销售量将达5 000万台，这至少是现在销量的4倍。如果假设iPad的销量以每年两倍的速度增长两年（苹果还会推出新产品，并在世界更大范围内销售），那样的结果是到2013年，iPad销售量将达两亿台，这是其2010年销售量的15~20倍。两亿台iPad加上30%的利润率，等于300亿美元的纯利润（目前iPad利润率大约为36%）。

对于苹果公司的前景预测可以是永无止境的，我们可以认为，如果苹果公司iPad和应用的销售为该公司纯利润的40%，那么该公司总利润可达800亿美元（目前为250亿美元），苹果公司的现金流将达到利润的75%（600亿美元）。

里根卸任美国总统时，美国的经济学家们批评里根给美国带来了3.4万亿美元——史无前例的美国财政赤字。而一位犹太商人却写道："里根只用了一张3.4万亿美元的赤字支票，就消灭了苏联。"现在中国经济学家们告诉大家，美国奥巴马的又一次美国史无前例的财政赤字是美国衰败的开始。而在犹太商人的眼里，是不是又认为这正反映了奥巴马和美国的智慧？

1989年，日本各界都在高谈阔论日本经济将开创宏大的日本时代，结果，日本由房地产和出口制造业搭建的经济，在1993~2000年被美国由微软、英特尔、亚马逊组建的创新科技军团彻底打败。1989年后，日本经济陷入史无前例的长达20年的长期通货紧缩。1989年时，没有一个日本人相信日本楼市会下跌，1989年在日本谈日本楼市要暴跌或日本经济失败的人，会被认为是精神病患者。然而1989年至今，日本楼市下跌了70%，还有许多日本地区楼市下跌了90%，日本经济沦为全球化的"二等公民"。而美国在1989年依靠巨大的美国财政赤字，加速推高了日本地区房地产价格，同时依靠美国迅速成长的科技部门推升了世界性通货膨胀预期，最终全球资金疯狂涌入美国。1995年世界见证了美国时代的崛起和日本大败退。

明朝李成梁喜欢打仗，更喜欢偷袭。公元1577年5月，蒙古部落战神速巴亥攻打河东。李成梁率领骑兵跑了两百里，毁灭性地打击了速巴亥大本营。8个月之后，速巴亥带来三万大军妄图活捉李成梁。安下营寨的时候，手下人提醒要防备李成梁像上次一样偷袭，速巴亥哈哈大笑说："李成梁不会这么蠢，用过的招不会再用啦！"然而，让速巴亥没有想到的是，李成梁偏就给他来了个故伎重施，再次率兵奔袭两百里，黎明前突然出现在劈山大营。

速巴亥愚蠢地嘲笑李成梁不会这么蠢，用过的招不会再用，现在的问题是，美国人用过的招就不会再用了吗？

2011年1月4日，美国贷款信息公司PayNet发布报告称，2010年11月美国小型企业的借款量上升至两年多来的最高水平，原因是小企业主利用借款对其公司业务进行投资，同时还利用借款来更好地偿还现有债务。报告显示，11月汤森路透/PayNet小企业贷款指数创下自2008年9月份以来的新高，高于2010年10月份的79.8点和2009年的75.3点，比2009年同期增长17%，这一数据提供了小企业经济正在继续增长和复苏确切的证据。汤森路透/PayNet小企业贷款指数以2005年1月份的借款量为基准，该指数用于追踪小企业所获得的整体借款量，其中包括贷款、租约和信贷额度等。这是该指数连续第九个月实现增长，同时也是连续第四个月实现两位百分数的增长。

在现有贷款的偿还问题上，美国逾期尚未还款的公司数量有所减少，这是又一个正面的经济迹象。

"（应收账款）非本期余额继续下滑，因此对贷款商来说，资产质量也正在继续改善。"伯南克进一步指出，这种改善很可能将在2011年提振贷款商对小企业的信心，从而创造出一个有效率的循环，向小企业这一关键部门注入更多资金。在美国，新聘员工中的70%都是由小企业聘用的。美国小企业的借款量上升是美国就业市场开始改善的重要标志。

研究过1930年世界性大萧条的伯南克非常清楚，1931~1932年，正因为当时美国小企业借款被资本市场拒绝，导致了1932年世界经济彻底崩盘。1992~1993年美国市场爆发储蓄银行破产，当时美国市场储蓄银行破产规模约为5 000亿美元，同样，1992~1993年日本的中央银行，在这段时期制造了最疯狂、最巨大的日本楼市购买量。2009年3月，伯南克第一轮宽松量化货币政策中1.3万亿美元美国长期债券的购买，迅速导致美国市场债券收益率曲线平滑，这就意味着美国市场所有金融机构拆借短期资金后必须以非常低的长期利率放贷，这样，市场信贷的风险溢价就非常高，所以美国所有金融机构都不愿意向美国小企业放贷，美国必然处于严重的高失业率之下。而中国也在 2009 年 3 月到 2010 年年底出现了中国历史上最疯狂、最巨大的楼市购买量，2009 年 3 月到 2010 年年底这两年时间中国楼市的购买量，相当于 2004~2009 年 5 年的总购买量。现在的问题还是，中国自信不会重蹈日本的覆辙吗？

1994~1995 年日本楼市永远不会下跌的神话，在美国微软、英特尔、亚马逊等创新企业股价的腾飞中消失。15 年后的今天，美国伯南克用同样的手法，把 1992~1993 年日本中央银行在这段时期制造的最疯狂、最巨大的日本楼市购买量的神话，一模一样地复制在 2009 年 3 月~2010 年年底的中国市场。现在，和 15 年前的日本楼市神话一样，美国将同样启动美国纳斯达克指数腾飞，使 2011 年的中国楼市崩溃。现在，毋庸置疑的是美国市场就业的迅速好转。那么美国市场就业为什么会迅速好转呢？这是因为，在伯南克第二轮美国宽松量化货币政策中，很少有资金配置在美国中长期国债上，这促使美国债券市场收益率曲线即刻变得陡峭，这样对美国所有金融机构来说，拆借短期资金后将以非常高的长期利率放贷，市场信贷的风险溢价就非常低，所以美国的所有金融机构都开始积极向美国小企业放贷。同时，伯南克通过美国宽松量化货币政策，收紧美国金融机构放贷的超级储备金，现在规模是 1 万亿美元，所以未来伯南克退出美国宽松量化货币政策，美国会出现长期债券收益率上升，美元汇率史无前例地壮观上涨的现象，就业市场在 2012 年会有惊人的改善。2010 年末美国长期债券收益率开始迅速上升。我在 2009 年 6 月 7 日的博文《伯南克的区域性战争和奥巴马的思想》中指出，伯南克如果让美国长期债券收益率在未来迅速上涨，全球就会有区域性战争爆发。现在，大家应该明白了，为什么美国和韩国的军演在 2010 年末如火如荼。美国让其长期债券收益率上升就是为了大规模沽空中国楼市，为了摧毁中国楼市，并在军事上开始从外部包围，打击中国经济。

另一个重要的角色什么时候登场？借助对社交网络巨头Facebook 4.5亿美元的投资，高盛成功确立了Facebook IPO候选承销商的地位。这样一来，无论Facebook何时上市，高盛都将赢得一项利润丰厚且颇具威望的任务，同时还将收获数百万美元的承销费。高盛已经开始吸引富豪客户，与之一同投资Facebook，并将成立一只总额高达15亿美元的Facebook专项投资基金。对高盛而言，投资Facebook从许多方面来看都是回归本质。早在Facebook成为社交和文化现象之前，高盛便与美国最热门的企业及其高管建立了良好的关系。从20世纪初的西尔斯百货，到20世纪50年代的福特汽车，再到90年代的eBay（电子港湾），通过结交这些重要的"朋友"并巩固彼此之间的关系，高盛获得了大量承销费收入。除了高盛有望借助Facebook的IPO获得承销费外，26岁的Facebook CEO马克·扎克伯格和其他高管还将借助上市变现数十亿美元的账面财富。而作为Facebook的重要投资者之一，高盛最有可能抢先赢得这笔资金的管理权。

在2010年11月一次私营公司股票拍卖中，Facebook估值达到了560亿美元。在经历了估值大幅上涨后，扎克伯格表示，有意以500亿美元的估值展开融资。促成这笔投资的"媒人"是俄罗斯投资公司DST的CEO尤里·米尔纳。DST公司与高盛一同参与了这次投资，金额为5 000万美元。高盛与DST公司以及米尔纳的关系非常密切，后者专门从事互联网行业的风险投资。DST上市子公司Mail.ru已经持有部分Facebook股权，而且还投资了另外两家热门互联网公司，分别是团购网站Groupon和社交游戏开发商Zynga。Mail.ru 2011年11月在伦敦股票交易所上市时，高盛就担任承销商，当时募集资金总额约10亿美元。高盛本次投资Facebook使用的是自有资金，而这笔投资也凸显出《多德-

弗兰克法案》出台后，高盛私有股权投资战略的变化。对于高盛近 9 000 亿美元的资产而言，对 Facebook 的投资根本不值一提，但这仍然具有十分重要的象征意义，因为自从金融危机结束以来，业内人士对高盛是否会利用自有资金展开这种难以变现的高风险投资一直都不甚明了。相对于高盛对 Facebook 的直接投资而言，该公司的专项投资基金或许更加引人关注。这只基金专门面向富豪客户募集资金，并将资金用于投资 Facebook。知情人士透露，高盛针对该交易收取高额费率：4% 的申购费外加 5% 的利润分成。尽管费率较高，但该公司对客户表示，这一基金有望获得大幅超额认购。知情人士称，申购该基金的高盛客户最低投资额度为 200 万美元，而且在 2013 年前都将禁止出售该基金份额。该公司还对潜在投资者表示，如果他们参与这一投资，就无法在私营市场上交易 Facebook 股票。

Facebook 将 IPO 的时间设定在 2012 年 5 月份或者更早。2010 年 7 月 15 日，美国参议院通过最终版本金融监管改革法案——《多德-弗兰克法案》，该法案提供了最清楚的美国金融监管图景。美国众议院金融服务委员会主席弗兰克认为，这项法案比"几乎所有人"预计的都要严格。美国参议院银行委员会主席多德称该法案是"巨大的成就"。最终法案将对美国华尔街产生重大影响，首当其冲的是"沃克尔规则"。这项以美联储前主席保罗·沃克尔名字命名的规则，将对那些存款受联邦担保的银行，限制进行自营交易。多德说，这些限制的目的就是减少银行的高风险活动，以后受联邦担保的资金将不能从事高风险活动。为此，高盛等银行将分离其自营交易部门。高盛 CEO 布兰科芬表示，自营交易占公司收入约 10%，以 2009 年 452 亿美元收入来看，这意味着高盛将有数十亿美元受到影响。其他大型银行自营交易收入大多介于 5%~10%。沃克尔规则也打了一些折扣，允许银行进行部分对冲基金和私募基金投资。但银行在对冲基金和私募基金的投资不能超过一只基金总资本的 3%，另类投资总规模也不能超过银行有形股权的 3%。另一项严重冲击华尔街的规则由参议院农业委员会主席林肯提出，要求分离银行利润丰厚的衍生品业务。银行将分离一些非传统的衍生品交易业务，包括金属、能源、大宗商品等。

美国高盛证券和俄罗斯投资公司 DST 已经在一笔私募交易当中向 Facebook 注资 5 亿美元，而根据交易的规模推算，它们认为后者的总价值已经达到了 500 亿美元。许多人都在谈论这笔交易，将其当做互联网存在泡沫的进一步证据。之所以会说"进一步"，是因为大家应该还记得，不久之前，团购网站 Groupon 大胆拒绝了谷歌公司高达 60 亿美元的收购报价。不过，这些人可能忽视了一条永恒的真理：从来没有任何人曾经因为低估公众的智能而破产，扎克伯格也不大可能会成为第一个这样的人。

美国 Facebook 已拥有超过 5 亿的用户，并在以惊人的速度发展。这些用户当中，超过半数的人是全天挂在线上，这就意味着平均每个用户每天登录 Facebook 23.5 小时。这个数据说明，现在世界上的网民们每月投入 Facebook 的时间已经超过了谷歌旗下全部网站的总和。

美国《多德-弗兰克法案》为美国全体华尔街的交易者们，开创了一个伟大的新交易平台。2011 年 1 月 4 日，美国《多德-弗兰克法案》和高盛通过 Facebook 为美国包括全球资本开创了"纳斯达克指数溢价时代"。美国《多德-弗兰克法案》和 Facebook 对一些中国经济学家来说也许永远无须关注，但它们对高盛来说是比生命还重要的交易的世界。Facebook、《多德-弗兰克法案》和高盛在伯南克推动的美国长期债券上升中，将至少制造 5 000 亿美元财富，加速配置美国纳斯达克指数。现在，美国苹果公司的市盈率是 20，如果未来全球 5 000 亿美元财富加速配置美国纳斯达克指数，苹果公司的市盈率就会至少上升到 30，届时，全球长期债券收益率和美元价格会获得巨大胜利！或许，我不应该感叹美元即将来临的宏大胜利，但这场美国的宏大胜利完全是建立在交易体系上的基本常识。如今美国把 1997 年东盟地区的崩盘基因和 1989 年日本地区的崩盘基因，全部复制到了 2011 年的中国地区。

Facebook 或许是一种新商业模式，一场美国经济真正意义上的、重大的结构性转变正在加速进入美国经济。2007 年以前，我们看到美国金融公司掌控了美国市场大规模的资本和资源，而 2009 年以后，美国《多德–弗兰克法案》一步步创造了大规模资本和资源转移的美国科技部门，目前，美国的科技部门手上有创纪录的 1 万亿美元现金，完全可以发动一场世界核心资源的收购战，随着 2011 年 7 月美国《多德–弗兰克法案》正式实施，美国经济将用不可想象的步伐再次冲进世界领跑者的时光隧道。

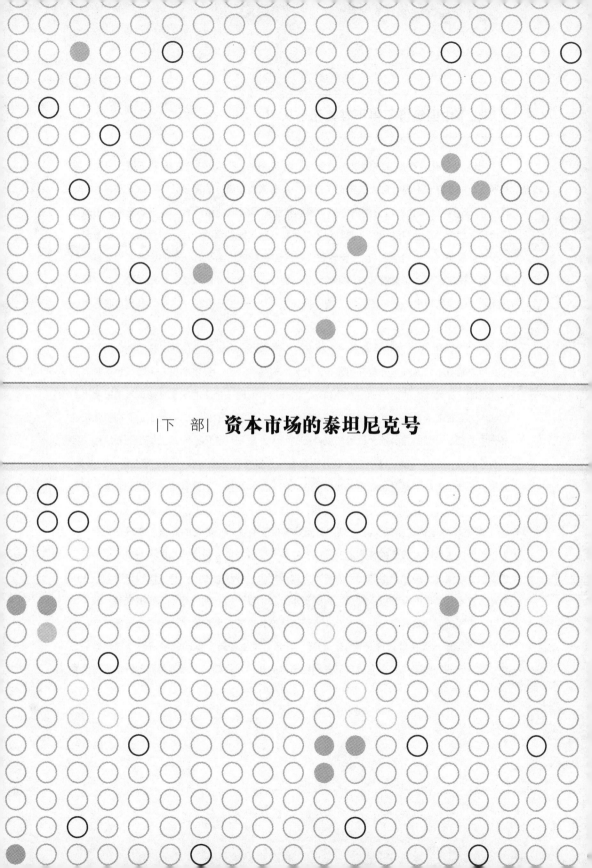

|下　部| **资本市场的泰坦尼克号**

全球化下中国经济不得不唯美元是从

　　参与全球化就不能躲在阴谋论的身后，阴谋论是弱者面对失败的自我安慰。只要不违背常识，只要自己不因为自大被蒙上了双眼，没有人能牵着你的鼻子让你唯命是从。

　　今天，在全球金融世界的海洋中，套利集团时聚时散地滚动着，在一场场的游击战和阵地战中壮大，在世界经济的关键时刻总是起到双向推波助澜的作用。对金融货币政策影响巨大的就是美国"央行套利者"。全球化下以跨国金融市场套利为基础的金融结构体系，使得发展中国家都失去了独善其身的功能。虽然披挂上了全球化的行头，心却没变，在"股市是赌场"的嘈杂声中，把中国经济变成了疯狂的气球——空心化的"内心"和日益临近爆破的膨胀。

　　一个错误的经济政策会断送一个健康的经济体，一个错误的预期同样是致命的。一个生命由肉眼看不到的细胞分裂开始发育到壮大、衰落、死亡。经济的每一个阶段也都具有同样的规律，在最壮大的时候却是衰败和死亡的开始；同时一个新的状态在形成着肉眼看不到的细胞，正在准备着新的壮大和死亡。在经济发展中透漏出的微小信号就是你必须抓住正在成长中的茁壮，借助它的壮大过程成就自己的壮大。复利经济体必须跟上每个上升阶段，回避衰亡阶段。所以，制定经济政策就必须拿着放大镜查找蛛丝马迹，找到正在孕育的未来，如果制定的经济政策是对正在走向死亡的壮大的追随和热捧，后果就是一同走向衰落，甚至死亡。

　　现在，中国的经济政策正在热捧美元贬值持续的状态，美元的贬值使全球正处在一个史无前例的资金成本极低的负利率时间段，在美元贬值、资金极度宽松的大背景下，导致了中国的土地泡沫、房地产泡沫。西方资本大规模把工厂转移到中国，在中国投资套利。中国劳动力资本、土地的全部投入都是巨量的资本，我们唯一担心的问题是资本的逆转、成本的上升。中国的问题就是美元的问题。一个经济状态构成的因素在经济发展中会不断改变，一个状态不可能永远持续，这是常识。同样，美元会发生逆转，中国的经济必须提前做好应对，和美元的升值同步，来完成自己复利经济体的转换，否则，会因为美元的升值而遭受重创。

第五章

中国陷入的投资陷阱

股市赌场论帮助美国去工业化

2008~2009 年，中国经济增长的漂亮数据中，来自房地产和政府投资高达90%以上，而出口和居民消费已出现极不平衡的大幅波动。这就是说，2008 年世界性大萧条后，全球经济的大通缩期间，中国出口制造业模式的利润是不断追加恶性负债表的模式：出口不行→拉动房地产→房地产不行→拉动西部大开发→中国主权债务爆发。

美国需要什么，什么时候需要，就能在什么时候从中国这里拿吗？是的，但这也需要美国先建立一个明确的框架，设计一套阴谋程序。拿的前提是现在中国已成为房地产经济这个毒品的高纯度患者。回到 2001 年。

2001 年中国经济还是在腹中发育的胎儿时，营养关乎它未来的成长。股市泡沫带来的经济成本损失和社会成本损失远小于房地产泡沫带来的损失，这个比例在欧洲和美国是 1∶7，在中国现在超过 1∶20。当时中国这个经济胎儿长大是要参与全球化的，如果 2001 年以来我们一直走股市配置中国资本的道路，而不走银行和地产去配置中国经济的道路，2010 年中国股市可能在几万点，也不可能有机会出现恶性房价的低劳动生产率了。假设中国股市是从几万点高空往下砸，中国市场由于劳动生产率配置较好，只会出现金融危机，但绝不会出现双重同步危机——货币危机加金融危机。日本股市创造了丰田、新日铁、三菱等始终在世界最前列的企业，所以日本的经济危机并不是货币危机和金融危机同步出现。

2006 年 10 月，中国如家快捷酒店在纳斯达克上市，市盈率超过 100 倍。如果按吴敬琏先生 2001 年的结论，那美国投资者是精神有问题了。中国经济 2001~2010 年年均增长 9%~10%，如果这期间是用股市配置中国劳动生产率，那任何时段说中国股市泡沫都是愚蠢的。反过来，现在中国经济增长结构 70% 靠地产在拉动，而银行信贷 90% 集中在地产业及地产业相关产业。以中国地方债为例，现在规模为 7 万亿~10 万亿左右，在中国银行业内这笔贷款不归类于地产业，但中国地方政府还地方债和地方债利息的

> 如果中国经济出现问题，必定出现货币危机加金融危机共同爆发的同步经济危机。

钱 100% 依靠土地拍卖。所以，如果中国经济出现问题，必定出现货币危机加金融危机共同爆发的同步经济危机，就像 1994 年的墨西哥经济危机、1997 年的东盟经济危机、2001 年的阿根廷经济危机，它们都体现了货币危机加金融危机共同爆发的同步经济危机的模式。现在的问题是，阿根廷、东盟、墨西哥都是小经济体国家，国际社会和其他利益相关的大国联手救助，基本上可以解决问题。而中国是个大国，在货币危机加金融危机共同爆发模式中，其他大国届时只会

联手来落井下石。

大家也见证了中国股市从 6 000 点跌倒 1 600 点，人民币反而非常坚挺。而中国楼市如果出现下跌的话，那将直接重创人民币。股市由多种不同的均衡细胞构成，有消费、制造业、航空业、饮食、医疗等，只要不出现恶性通货膨胀，股市都很快会在 3~5 年恢复过来。重要的是，股市是由许多小经济周期构建的多重经济大周期。1989 年日本股市市盈率到了 60 倍就破灭了，所以我们中国股市 2001 年也要挤泡沫。1989 年日本的土地价格可以用一个简单数据来衡量——日本东京中心千代田区"皇宫"的地价当时可以买下美国整个加利福尼亚州。所以说日本陷入大衰退主要是土地价格高涨导致日本企业劳动生产率恶化，引发了日本银行业坏账急剧上升，再引发了日本长期债务性恶性通货紧缩。在过去 20 年的大衰退中，1989 年日本丰田股价每股 30 美元，2007 年丰田股价每股 120 美元，而同期日经指数从 39 000 点暴跌到 16 000 点。可见，日本经济纯粹是土地大崩盘，而非核心制造业大崩盘。土地泡沫则是由政府泡沫大周期和银行泡沫大周期构建的单一性超级大周期。日本土地泡沫崩盘的破坏力是股市泡沫崩盘破坏力的 7 倍以上！

图 10 中一为 2001 年美元指数从高位 120 跌至 2005 年 85 的大贬值周期；一为 2001 年中国股市从 2 200 点跌至 2005 年 1 000 点的大熊市周期。

2001 年美元指数和中国股市的走势图为什么会如此惊人的一致呢？自 2000 年纳斯达克指数从 5 000 点暴跌至 2002 年 2 000 点以下，美国新经济进入了大熊市周期。科技熊市周期一般为 12~13 年，制造业超级熊市周期一般会延长至 19 年以上（这些周期概念是建立在非老龄化社会基础上的）。这种情况下，2000 年后，美国迅速开始大规模减税并发动对伊军事战争。2001~2007 年，美国经济出现了一个非常明显的结构性变革，表面上大家可以看到美国房地产的繁荣，而结构中却是美国制造业占 GDP 的份额从 2000 年的 22% 迅速下降至 2007 年的

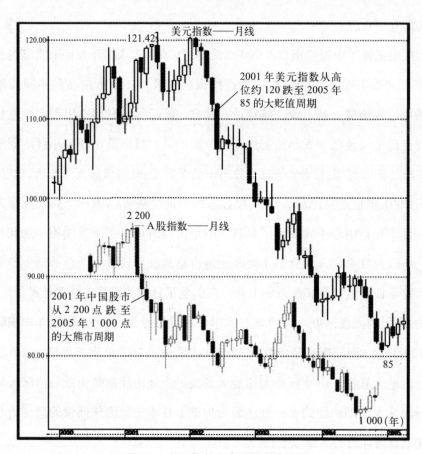

图10　美元指数和中国股市走势图

11%。2008年世界性大萧条后，美国制造业占GDP份额进一步继续大幅下降，这就是我们所称的"去工业化"。

2001~2007年美国经济生死攸关，千钧一发，是非常关键的时刻，是美国经济非常脆弱的大换血周期。同时我们看到，中国官方外汇储备2001~2007年从2 000亿美元狂增至近2万亿美元，其中近80%的资本投入到美国国债市场与美国房地产次级债市场。2001~2007年，中国这笔帮助推动美国史无前例的"去工业化"进程的至关重要的资本不低于1.5万亿美元。

假设美国市场2001~2007年没有中国官方外汇储备这至关重要的1.5万亿

美元的资本投入，那 2001~2007 年就不仅仅是美元指数从约 120 大幅贬值到 85 了，而且美元会出现大崩溃，或者也会出现符合中国国家利益的新国际货币体系的建立。现在美国"去工业化"结束，中国在 2001~2007 年帮助美国成为了技术创新的新生代大国。昔日辉煌的诺基亚公司，已被美国苹果公司、谷歌打败。

2010 年，无论是人才储备，还是科技企业的现金储备或者是债券收益率，美国都可以傲视世界上任何一个国家或任何一个联盟。假设，2001~2007 年，没有中国官方外汇储备 1.5 万亿美元资本投入美国市场，而是将这相当于 10 万亿人民币的资本投入中国市场，也许会为中国创造出最优的科技创新市场也未可知。

那中国为什么会有这么庞大的官方外汇储备呢？官方外汇储备是一国储蓄过剩的现象。中国人习惯于拼命存钱，这导致消费不足，使中国产品在中国严重过剩，而转向海外获取市场，这样中国外汇储备必定激增。美国 2001~2007 年的"去工业化"进程，就是希望把大量美国低端制造业转移到海外，成就今天以技术创新、世界金融、世界农业、世界军事为结构的美国经济，而中国则成为世界低端出口制造业大国。

2001 年 2 月 26 日，中国证监会发布了《关于规范证券投资基金运作中证券交易行为的通知》，掀开了 2001 年打击证券市场违规交易的序幕。4 月，证监会对联合操纵亿安科技股票价格的广东 4 家投资顾问公司开出了中国证券史上最大的罚单：决定没收他们的违法所得 4.49 亿元，并处以等量的巨额罚款。2001 年是查处大案、要案集中、力度最大的一年。中科创业、亿安科技、郑百文、麦科特、银广夏、东方电子、蓝田股份等名噪一时的股票尽在其中，许多案件被移送司法部门。2001~2005 年，中国股市的上市公司从 1 130 家增加到 1 380 家，如果考虑到新增加的股份的因素，中国股市的总损失不低于 7 万亿人民币，而中国经济却仍在高速增长。

任何一个工业化国家，无论是早期还是现在，都有一个必然的转换过程——大量的闲散农业人口向高密集型的重工业人口转换。也就是说，中国在这么一个农业人口向高密集型的重工业人口转换过程中，如果有10%的中国农业人口转换成工业人口，那就是1亿人，这在世界经济史中是难以想象的力量——1个工业人口1年的产值约为2万美元，1亿工业人口1年的产值就是2万亿美元，这是中国经济必然的创造力。所以，拿今天的股票价格去对照2001年80倍的市盈率的价格，中国股票市场至少有一半的股票在2007年上涨了10倍以上。这样，事物的本质就可以揭开了，中国股市最可怜的时刻，美国资本几百亿美元疯狂购进中国银行业股票，现在这些投资变成几千亿美元被美国人拿回美国本土大吃大嚼。随着中国经济这种必然的创造力的财富分配，最终以利益集团、银行业以及中国地方政府主导中国房地产市场，形成社会资源分配的严重不均，出现恶性房价。2001~2007年中国储蓄大量过剩，必然要通过大量贸易的形式转换成投资于美国的中国资本。这就是2001年美元指数和中国股市的走势图为什么会如此惊人一致的重要意义。中国的股市很像一个赌场，而且很不规范。赌场里面也有规矩，比如你不能看别人的牌。而我们的股市里，有些人可以看别人的牌，可以作弊，可以搞诈骗。坐庄、炒作、操纵股价可说是登峰造极的杰作。

在中国经济彻底依赖上高纯度房产这个吗啡后，2005年美国人开始要求人民币升值了。站在2010年，我们看到，过去9年，中国A股上涨了20%多，而同为"金砖四国"，巴西股市上涨了7倍，俄罗斯股市上涨了6倍，印度上涨了5倍。有人说巴西股市、俄罗斯股市上涨的原因是资源价格上涨，而中国是资源匮乏的国家，中国的产业基本都集中在中下游。那同样资源稀缺的印度，为什么也会出现股市上涨5倍的奇迹呢？为什么印度的软件产业与医药产业已经开始渗透到世界的高端产业链？如果没有中国房地产市场的高消耗与长期恶化生产力的结果，巴西与俄罗斯会赚取中国的大部分财富吗？1945年"二战"结束后，德国与日本两个国家在废墟中进行工业化建设，其增长的速度不低于如今中国经济的增长速度，其经济规模远高于现在中国的经济规模（以1970年美元价格衡量），那是德国与日本的政府、企业、员工三者收入共同暴增的工业化进程。那个时期，也没有一个资源国家可以从德国与日本共同的巨大增长中谋得一点利润。美国在金融全球化下完成了去工业化的建设，成为金融衍生产品的世界。今天全球金融衍生产品的规模为600万亿美元，而中国的经济规模才不到5万亿美元，中国在世界劳动分工中仅限于全球中低端制造业产业，这将是一场自我强化的失败。本人的观点常常被许多人评价为阴谋论。但我们应该以什么样的心情，去看待今天中国勇夺了全球低端制造业大国的称号呢？

我一直在思索一个问题：中国为什么痴迷于建立大规模官方外汇储备，而不是勇敢地去建立政府福利负债？当然这种政府负债是向政府公共福利转移的模式，即免费医疗、免费教育、廉价住房等。一个国家有大规模外汇官方储备，就意味着这个国家有大量的海外债权，而从世界历史的经验来看，有大量海外债权的国家往往会蜕变成一个很不负责任的国家，而最终在全球化的进化中大规模破产，并且这种破产的速度非常惊人。18世纪荷兰共和国财富衰落的历史就是荷兰快速衰落的历史。当时荷兰约有80%的海外投资在英国，而国内各行业则面临衰退和贫富分化日益严重的窘境，虽然当时荷兰的阿姆斯特丹还保留着许多高附加值产业，如烟草加工、帆布和丝绸生产、造船、糖类精制和亚麻生产等，但大规模的人口迁移已经开始了。当时荷兰的当政管理者完全无视荷兰产业的恶化，只是追逐在英国的债权利息收益和自己的炫富生活。最终，荷兰用自己的衰败奠定了英国工业革命的开始。而到大英帝国的时代，1910年大英帝国在海外的投资高达40亿英镑，相当于那个时代世界总投资额的60%。但在 1900 年，英国很多富人已经搬离了伦敦上层的住宅区，伦敦工业区的工人也开始大规模迁移，英国的重工业区伯明翰的工厂主开始面对设备的严重落后。荷兰人用海外投资推动了英国的工业革命，英国人同样用海外投资创造了美国工业革命和德国工业革命。可见，荷兰的国家管理者和英国的国家管理者都用大量的海外投资为自己创造了一个致命的对手。今天，在中国 2.4 万亿美元官方储备的时代，我们也正面对一线城市大量的财富人士向海外迁移，一线城市大量的技术人员向二三线城市迁移，沿海地区的工业基地大规模向内地迁移，以及农业产业空心化的形成。中国同样也用大量的外汇储备创造了强大的美国科技部门。站在荷兰与英国的衰败的角度来看，我们有勇气去质疑强大美元时代的来临吗？

> 今天，在中国 2.4 万亿美元官方储备的时代，我们也正面对一线城市大量的财富人士向海外迁移，一线城市大量的技术人员向二三线城市迁移，沿海地区的工业基地大规模向内地迁移，以及农业产业空心化的形成。

20 世纪 80 年代，全球的官方储备为 1 万亿美元。全球经济经过 30 年无大规模战争冲突的增长以及高强度的全球化整合，全球的官方储备增长了 8 倍，超过了 8 万亿美元。今天徘徊在全球化大门之外的，有印度的年轻人、中东的年轻人、非洲的年轻人——共计十几亿年轻人，向这十几亿年轻人提供必要的官方外汇储备，来整合这些年轻人进入全球化大门，是未来国际社会的最高责任感的体现。现在美元的全球铸币税为 500 亿~600 亿美元，未来 20 年全球社会如果有责任感的话，应建立必要的全球官方储备，那么 30 年以后的全球官方储备（在最低增长限度的情况下）至少是 50 万亿美元；如果全球社会极富责任感的话，30 年后的全球官方外汇储备将达 100 万亿美元。也就是说未来 30 年时间，国际社会向融入全球化的 10 亿~15 亿年轻人提供人均 5 万美元的支付储备，这才是全球化的真正价值与经济学的真正意义。

农业空心化与高成本建设

在美国全力加速这场 2012 年对世界最高货币权的控制的时候，中国最前沿的全球化战士——中国央行在干什么？

央行货币政策委员会委员李稻葵在清华EMBA（高级管理人员工商管理硕士）第八届毕业论坛上表示，中国经济未来发展的格局会发生重大变化，未来 5~10 年中国经济的兴奋点或者说中国经济的快速增长点，可能会从北京、上海、广州、深圳转向如重庆和武汉这样新兴的市场经济地区。重庆 2010 年上半年实现了 17% 的增长速度，财政收入上升 70%；武汉上半年经济增长速度也超过 15%，发展势头非常强劲。李稻葵说重庆和武汉只是经济正在迅速崛起的城市的代表，这些城市和地区经济的迅速发展需要大量投资，这是中国经济未来发展的兴奋点。

李稻葵的话展示了中国经济和经济政策的状态，也吹响了以富士康为代表的企业向内地转移的号角，为中国二线城市出现的急速的工业化扩张铺平了道路。富士康把华南生产中心改造成工程基地，把 20 万个工作岗位转移到成本低的内陆省份。富士康将深圳工厂重新打造成"工程园区"的决定，是低端制造环节从成本相对较高的沿海制造业地区大规模转移的一个缩影。

富士康每到一处都是当地GDP的主要贡献者，2009 年上交深圳市的税收就超过 3 亿元人民币。因此，天津、郑州、廊坊、烟台、成都、武汉等地区竞相开出优厚条件。富士康的建设规划在北京、郑州、廊坊、重庆、成都、长沙、秦皇岛、晋城、烟台等地迅速铺开。

由于消费者电子产品零部件繁多、生产过程复杂，富士康每新建一座组装工厂，通常都会吸引数十家规模更小的供应商在周围建设生产设施。富士康将在绵阳建设智能手机生产基地，2011 年 5 月动工，11 月量产，规划产能 5 000 万部。富士康正在河南省和四川省兴建大型工厂，这两个省份的人口在中国名列前茅，也是深圳等沿海出口中心工厂农民工的主要来源地。

从中国央行货币政策委员会委员李稻葵先生的讲话中，我们不难发现中国的重庆、郑州、武汉等大量二线城市出现了急速的工业化扩张，这主要是中国沿海地区大规模产业与一线城市必须面对的一个问题——必须把来料加工的配件大规模运输到内地，再把总装产品运输到沿海地区。这个多余的运输成本将是由中国经济成本来支付的。现在，中国铁路是全球最繁忙的，中国铁路客、货运量占全球的 1/4，而铁路里程仅占全球的 6%。中国铁路客、货运繁忙程度是印度的两倍，是美国的 3 倍，是欧洲的 12 倍。中国铁道部预计，下一个 10 年中，货运将增加 55%，而客运里程将翻倍。除高铁外，中国铁道部计划至 2020 年前，增建 18 000 公里的普通客、货运铁路线。2009 年中国铁道部的负债增加了近 50%，达到 1.3 万亿元人民币，已濒临其发债的极限。中国开始让地方政府分担新建铁路所需成本的约 1/3，但下一个五年计划中，还需要中央政府直接提供预算支持。许多中国人认为对急需升级的中国铁路系统进行的大规模投入是精心考虑之举，但现在中国铁路大规模升级的同时伴随着中国农业体系的空心化加速与中国的债券收益率恶性上涨加速。而从中国央行副行长胡晓炼女士的撰文中，我们可以看出，中国央行认为 2010 年 6 月 19 日人民币升值，是中国调控通货膨胀的重要手段。7 月 1 日，中国最大的代工企业富士康开动了全线内迁中国内地的车轮。富士康 2010 年上半年报表出现亏损，而富士康的宿主美国苹果公司 2010 年上半年的利润创出了历史最好水平。6 月 19 日人民币的升值，意味着中国所有出口制造商即将陷入全部亏损时期。中国农业现在是紧平衡状态，内地是中国农业供应的主要生产基地。同时，由于中国沿海地区的大规模工业化建设，中国沿海地区的粮食主要依靠内地向外运输来供应。中国制造业模式是代理加工，也就是产业链最低端的总装基地。原来是日本、韩国、东盟的高附加值配件运输到中国沿海地区，在中国沿海地区进行大规模总装，再从中国沿海地区运输到世界各地。现在，中国沿海地区产业大规模内迁以后，中国内地经济成为中国通货膨胀和中国产业重复恶性竞争的重要推动力，最终，这两股力量的互相自我冲击会演变成结构性长期通货紧缩的力量。

同时，在中国央行全力加速中国农业体系的空心化建设与农业体系运输的高成本建设中，来自世界上农业最发达地区——美国伊利诺伊州的美国非洲裔总统奥巴马的美国农业政策是：继续执行大幅度增加农业补贴的《2007 农场、营养学以及生物能源法案》，承诺继续增加农业补贴，高额投入可再生能源研发，大力保护本国的农产品贸易。美国的农业法案每 5 年修订一次，最新的农业法案《2007 农场、营养学以及生物能源法案》于 2010 年 6 月正式出炉。与 2002 年的农业法案相比，美国 2007 农业法案中农业补助金额再次上升，达到了约 2 900 亿美元，执行期为 2007~2012 年。此外，该法案还扩大了对美国农作物种植者的补贴额度和范围：除了维持目前对如玉米、小麦、大麦、大豆等农作物的补贴外，还将补贴范围扩大到了其他的农作物，如水果以及蔬菜等，后者在美国的市场已经接近于自由市场。新农业法案将 2 900 亿美元的 2/3 用于帮助美国的"贫困者"应对食品价格上涨。这意味着美国国内的需求不会对农产品价格敏感，就算价格上涨，只要在补贴范围内，美国的需求依然旺盛。而美国是全球农产品主要出口国，其国内农产品价格上涨将通过出口向全球传导。另外，在美国国内新增土地资源有限的情况下，新农业法案进一步鼓励美国地区农民休耕土地。同时，美国的"玉米战略"继续推行，到 2030 年，美国生物燃料计划中产自玉米的乙醇为 150 亿加仑，这 150 亿加仑乙醇仅能满足美国 5.6%汽车燃料的需求，而生产 150 亿加仑乙醇需要多少玉米呢？需要消耗 56 亿蒲式耳玉米，这是 2006~2007 年度美国用于生产玉米乙醇的玉米量的 2.7 倍，占 2006~2007 年度美国玉米总产量的 50%。由于美国生产的玉米一半以上用于饲料业，生物能源计划预示美国将面临巨大的玉米供需缺口。而美国玉米出口占世界玉米总出口的约 70%，这意味着中国内地工业化的建设帮助了美国完成其农业全球化政策。

那富士康为什么会在 2010 年上半年出现亏损呢？只是简单的富士康"13 跳"引发工资成本上涨所引起的吗？想必每个人都知道完全不是。中国的工资是美国工资的 1/20，如果再加上工厂主逃避支付必须支付的福利与中国工人的敬业精神，全球的代工主们在离开中国后，恐怕再也找不到让他们发家的风水宝地了。2007 年 12 月，比亚迪股份分拆手机业务，比亚迪电子在香港上市。比亚迪电子的 7 成业务来自诺基亚，而这些业务原本都是富士康的。苹果公司和索尼公司 2010 年将把富士康负责的部分笔记本电脑OEM（代工生产）订单也转而委托给广达生产。随着苹果公司进一步减少富士康方面的订单，2010 年富士康负责代工的苹果笔记本电脑数量占其出货总量的份额将从 20%下滑到约 10%。残酷的火并在 2009 年已经开始了。比亚迪股份 2009 年销售收入同比增长 47.34%，达到 395 亿元人民币，实现净利润 37.94 亿元人民币，同比大增 271.46%。比亚迪另一上市公司——比亚迪电子 2009 年收入 111.99 亿元人民币，同比增长 31%，实现净利润 7.59 亿元人民币，同比减少 1%。与比亚迪电子一样，富士康也有两个上市公司，其中一个是集团上市公司鸿海精密。2009 年富士康合并报表收入为新台币 1.96 万亿元（约 4 300 亿元人民币），同比增长 0.4%；净利润为新台币 756.9 亿元，较 2008 年增长 37.3%；富士康另一个与比亚迪电子一样以手机业务为主的上市公司——富士康国际 2009 年的财报显示，其收入为 72.41 亿美元，同比下滑 22%，实现净利润 3 962 万美元，同比大幅下滑 68%。

从比亚迪和富士康两家公司的财报中可以看出，比亚迪靠低价策略抢占了富士康的许多代工业务，而比亚迪的代工业务利润同比下降1%，富士康国际的代工业务利润同比下降68%。看了相互火并的中国代工两巨头的报表，对苹果公司2010年上半年最亮丽的财报，对未来苹果科技的全球垄断地位，还有什么可怀疑的吗？而比亚迪成长为中国代工巨头，主要是因为比亚迪电动汽车利润的支持。2008年9月，巴菲特先生斥资2.3亿美元购入比亚迪10%股权，从那时起，"股神效应"就笼罩着比亚迪汽车。2009年10月，比亚迪每股股价已超过76港币，飙升7倍。2008年9月，巴菲特先生用2.3亿美元撬动了中国代工业务的火并行动，也撬动了中国新能源的大跃进。

我们来看看全球呼声最响亮的奥巴马政府的新能源政策：在未来10年中投资1 500亿美元，以实现三个目标——刺激经济，减少温室气体排放，提高能源安全。美国参、众两院领袖通过了一个刺激美国经济的《2009年恢复与再投资法》，整个预算是7 890亿美元，其中有约500亿美元用来提高能效和扩大对可再生能源的生产，目标是通过对清洁能源和可再生能源的开发，在未来10年中创造至少46万个新的就业机会。在这约500亿美元中，140亿美元用于可再生能源项目；45亿美元用于改造智能电网；64亿美元用于清洁能源项目；63亿美元用于提高州一级能效的拨款；50亿美元用于增强家庭住房的越冬防寒性能计划；45亿美元用于对联邦政府的建筑提高能效；另有1 890万美元用于"绿色交通"，尤其是改善公共交通和建设高速公路。

奥巴马能源政策的第二个目标是同气候变化作斗争，其具体目标是到2050年把温室气体排放减少到1990年的80%；到2012年使美国电力的10%来自可再生能源，到2050年有25%来自可再生能源；到2015年，在美国使用的汽车中有100万辆采用油电混合动力；建立一个新的"碳排放限制和交易制度"来限制大工业企业的二氧化碳排放，并提高燃油经济的标准。

奥巴马能源政策的第三个长期目标是，提高美国的能源安全。"能源独立"成为奥巴马政府的一个新提法，其含义是，到2019年停止美国对中东和委内瑞拉的石油进口依赖，以使美国在这两个地区的政策有更大的灵活性。2007年美国每天进口1 000万桶石油，其中从沙特阿拉伯、利比亚、伊拉克、科威特和委内瑞拉进口的石油总和为每天330万桶，占大约1/3。奥巴马政府计划强行执行2007年众议院的决定，到2020年把联邦燃油经济的标准从现在的每加仑汽油行驶27.5英里提高到35英里。为了鼓励私人购买采用先进的油电混合技术的轿车，政府打算为每位购买这样一辆汽车的个人减税7 000美元。目前美国国内平均每月购买油电混合动力汽车的数量是17 600辆（2008年上半年是3万辆），如果真要实行这项计划，美国政府每月至少需要为此开支1.23亿美元，每年达到15亿美元。清洁煤技术问题的核心是捕捉二氧化碳，并把它送入地下深处隔离起来。美国的煤储量占世界的1/4，如果能做到这一点，将可以大量增加清洁能源的供应。现在唯一的问题是，虽然这项技术是现成的，但还没有发现经济上可获利的处理方式。鼓励使用乙醇是奥巴马在竞选中提出的开发清洁能源的方法之一。美国生产乙醇的主要原料是玉米，而生产玉米的基地在美国中西部。为了提高国内能源的生产，奥巴马计划建造阿拉斯加天然气管道，将阿拉斯加北冰洋海岸的普拉德霍湾的天然气输送到美国本土，但这需要跨域1 500英里的路线，并要穿越阿拉斯加布鲁克斯山岭。如今美国正在考虑三个不同的管道计划。修建这条天然气输送管道将比俄罗斯修建的穿越波兰和白俄罗斯到达德国的4 000英里天然气管道还要昂贵，该管道耗资约需450亿美元。美国目前有6 800万英亩出租给私人公司的土地没有得到使用，如果加以利用，在这些土地上估计每天能够生产出480万桶石油，从而可以大大减少美国的石油进口，实现奥巴马政府的不依赖中东和委内瑞拉进口石油的目标。提高能源供应和能效的最重要的措施是把普通电网改造为智能电网，其目的是应用现代技术来分配和供应电力，协调整个国家的电力供需。它能把可再生能源（如风能）输送给遥远的消费市场。但建造全国智能电网意味着要改造美国现有的所有电表、输电线和变电站，这将耗资 2 000 亿美元，而现在政府只拨出了 45 亿美元，用来改造 3 000 英里的输电线和为 4 000 万个家庭安装"智能电表"。在减排方面，奥巴马政府的政策包含一个雄心勃勃的建议：建立一个碳排放限制和交易制度。奥巴马政府将与加拿大政府、阿拉斯加州、石油和天然气生产商以及其他利益攸关方一道推进管道建设。虽然早在 1976 年便已提出修建此管道的建议，美国国会也于 2004 年为此项工程授权高达 180 亿美元的贷款担保，但在小布什政府任期内，这项至关重要的能源基础设施并未取得任何进展。计划中的管道将输送日产量 40 亿立方英尺的天然气，约占美国目前消费量的 7%。

我们不仅要听奥巴马先生激动人心的演讲，也要看奥巴马在新能源政策下带领美国做了什么。未来 10 年奥巴马先生将用庞大的 500 亿美元来完成美国的新能源建设，这笔庞大的新能源建设资金不到美国现在经济规模的 0.4%；到 2015 年，在美国使用的汽车中，有 100 万辆采用油电混合动力，超过美国 2.3 亿辆汽车保有量的 0.4%；每年 15 亿美元购买新能源汽车的补贴折合人民币是每年 100 亿人民币；到 2012 年使美国电力的 10% 来自可再生能源，到 2050 年有 25% 来自可再生能源，正好是美国"全球玉米战略"的体现。事实是，美国的新能源政策很重要，起到了很好的促进作用：

第一，到 2020 年把联邦燃油经济的标准从现在的每加仑汽油行驶 27.5 英里提高到 35 英里；

第二，美国阿拉斯加地区的能源开采；

第三，6 800 万英亩出租给私人公司的土地收回。

以上三条是美国国会长期争论而始终未通过的重大决定，1979 年伊朗革命爆发使石油供应中断的时候也是一样。可见，美国新能源政策的推出是美国的长期战略，而不是短期的奥巴马战略。2009 年美国进口石油每天为 1 100 万桶，2005 年最高峰时是每天 1 400 万桶。如果到 2020 年美国阿拉斯加地区和其他地区新增石油供应达每天 600 万桶，再配合北美自由贸易区美国最重要的伙伴加拿大地区的油砂供应，美国将向"能油独立"跨出很大一步。加拿大的油砂埋藏较浅，露天开采成本相对较低，且由于在油与砂之间存在一层水膜，用热碱水就可把油洗出来。虽然加工成本略微高一些，但综合来讲加拿大的油砂成本是全球最低的。加拿大阿尔伯塔的油砂中，可开采出 1 760 亿桶石油，仅次于沙特阿伯 2 640 亿桶的估计储量，可满足美国长期战略的需求。据阿尔伯塔省政府统计数据，该省原油生产能力已由 2008 年的每天 120 万桶提高到 2009 年

> 廉价的石油时代会很快进入我们的视野，昂贵的食品时代也会很快进入我们的生活。

的每天 135 万桶，比 2000 年的产油能力翻了一番，比 1990 年的产油能力翻了两番。加拿大石油生产商协会（CAPP）预计加拿大油砂产量到 2020 年可接近每天 350 万桶。1983 年，合成原油的供油成本为每桶 30 美元，到 2008 年已降到每桶 12 美元。利用钻井法开采油砂的供油成本也从 1983 年每桶 16.5 美元，降到 2008 年每桶 9.75 美元。加拿大油砂开采的成本虽然较中东地区石油高，但较深水开采则低。所以，未来 10 年美国通过提高自身的石油供应和加拿大地区的油砂供应，新增供应可达 900 万桶以上，也就是说，10 年后，全球将出现一个相当于沙特阿拉伯的新石油供应商。这说明美国的"去工业化"进程已经结束，其已不需要通过石油价格来迫使大量新兴发展中国家增加大量美元储备。廉价的石油时代会很快进入我们的视野，昂贵的食品时代也会很快进入我们的生活。这是美国未来的一场大战略，通过未来石油的大规模供应，最终会迫使全球资本市场在防御未来的通货膨胀中，唯一的选择是全球粮食市场，这是美国最大的战略。未来，世界粮食溢价全球市场的

形成，将是美元最辉煌时代的象征。

比亚迪汽车政府补贴的情况是：2010 年 5 月 31 日至 7 月 5 日期间（以购车发票日期为准）购买的 F3DM 车型，可享受每台 5 万元的补贴；2010 年 7 月 6 日（以购车发票日期为准）起客户购买 F3DM 车型，并在深圳上牌，可享受每台 8 万元的补贴；不在深圳市上牌，可享受每台 5 万元的补贴。

中国计划在 2012 年至少有 100 万辆电动汽车上路，届时中国政府至少要支付 5 000 亿人民币的补贴。中国想用两年时间，把奥巴马 10 年宏大计划的新能源梦想甩在后面。2007 年美国汽车业的总产值超过 4 000 亿美元，不到美国经济规模的 3%。长期以来，美国的汽车产业在美国 GDP 中的比重呈结构性下降趋势，美国汽车制造业创造的就业岗位占全部的 7.4%。现在全球汽车产业用当今的技术标准来衡量，已是落后的制造普通耐用消费品的行业，每辆汽车大约由 3 万个零部件组成，总体收益率极低。所以，发达国家的汽车业部门长期无法吸纳到大量人才。如果传统汽车要进化到现代技术组装，就必须先有模块技术的出现，这对现在的全球汽车零部件供应商来说还是一个天方夜谭的想法。电动轿车的性能需要比现在传统轿车高出几十倍，在电动汽车上已经奋战 20 年的日本丰田，至今还未突破电池水冷技术，而用的是原始的风冷技术。地球上现在汽车排放的二氧化碳不到全球二氧化碳排放量的 17%。所以，现在发达国家的新能源汽车战略大部分停留在企业层面的小规模投入上。更重要的是，2009 年美国汽车的年销售量已大幅萎缩至 1 000 万辆，比 2007 年 1 600 万辆下降了近 40%，美国市场严重萎缩的趋势还要保持 3~5 年。奥巴马用 2 000 亿美元就可以挽救美国的汽车产业，而这 2 000 亿美元与美国在伊拉克的"烧钱"相比，是多么微不足道。美国汽车产业从全球汽车产业的竞争中退出来了，这并不是因为美国缺少资本和技术人才优势，那是为什么呢？未来几年，德国、韩国、日本、中国将在传统汽车行业中火并，很快全球汽车价格将暴跌、全球石油价格将暴跌。如果全球要避免二氧化碳给社会带来的灾难，首先应该去核算经济成本，当二氧化碳给人类带来的经济成本是 5 万亿美元的时候，各国政府决定用 3 万亿美元去挽救这 5 万亿美元损失，但结果却是全球经济将面临更大的二氧化碳的破坏。因为政府资金的力量最终会挤占各国私人资本的力量，而最终引发全球经济增长的放缓，也就是我们所说的格雷欣法则——劣币驱逐良币。这样的结果是，在治理二氧化碳排放量的过程中，人类所付出的环境和经济的代价远远超过了目前二氧化碳给人类带来的伤害。

外汇储备的危险

2011 年 3 月 11 日，中国央行副行长、国家外汇管理局局长易纲称，中国的外汇储备投资多元化资产配置，会同时考虑美国国债、黄金和其他大商品储备等。在十一届全国人大四次会议主题为"货币政策及金融问题"记者会上，易纲指出，推进外汇储备投资多元化，首先是币种多元化，"主要的可兑换货币、储备货币、新兴市场货币，我们都有"。其次，"在资产上，也要推进多元化。只要资产符合安全性、流动性、收益性的要求，我们都会予以考虑，然后进入一个严格防范风险前提下的投资程序"。易纲认为"这种多元化配置，很大程度上保证了外汇储备资产运用的安全和回报的稳定"。

中国拥有全世界最大的官方外汇储备。截至 2010 年年末，中国外汇储备余额近 2.85 万亿美元，同比增长 18.7%。2010 年全年新增外汇储备近 4 482 亿美元。2009 年，中国大量负债的资产的价格暴涨。通常情况下，大量负债的人是不怕出现通货膨胀的，而只怕出现通货紧缩。也就是说，如果 2010 年世界经济向通货膨胀运行，那中国实体经济至少会有 5 年经济增长保持在 9%~10%，所以，中国经济会有 5 年以上的时间进行结构改革。这样，现实世界中会出现美元继续下跌，中国官方外汇储备遭到损失的情况。这种情况下，中国实体经济发展良好，中国官方外汇储备遭到损失，中国实体经济的良好减去中国官方外汇储备的损失，中国的总收益是赚钱的。如果 2011 年世界经济向通货紧缩运行，那中国实体经济未来至少会有 3 年以上的衰退。这样，现实世界中会出现美元强力暴涨，中国官方外汇储备中的美元储备会大幅增值，中国官方外汇储备的增值减去中国实体经济的损失，中国的总收益是赔钱的。现在，大家应该明白，如果 2011 年世界经济向通货紧缩运行，中国官方外汇储备的多元化战略将是失败的，再加上中国实体经济的大衰退，就会让整个中国经济体系遭受重创。中国官方外汇储备是服务于中国实体经济的重要"战略部队"，它有时必须牺牲自己而保护主力军团——中国实体经济，它必须从战略上遏制中国唯一的对手美国，这是管理中国官方外汇储备的唯一生存原则。现在中国官方外汇储备大量投资欧洲市场、日本市场、英国市场、韩国市场，就像让一位排长突然受命指挥 10 个集团军一样。2011 年全球经济会再次爆发大萧条吗？毋庸置疑。如果经历了 2009~2010 年的疯狂负债后，中国央行迅速把中国官方外汇储备全部用美国中短期国债集结，这 2.6 万亿美元的美国中短期国债，将是一只超级强大的中国战略部队，困死住美国总战略。美国人强大吗？在《被绑架的中国经济》中，我讲过这样一个故事：30 年前我还是个孩子的时候，跟妈妈去看了一场好莱坞的电影《未来世界》，当时看了很害怕，事后很长时间都在琢磨这部电影的情节。这部电影讲的是一个机器人想控制世界，他就请全世界各地有钱有权的人到他的岛上游玩。这些有钱有权的人到了这个机器人控制的岛上就被杀掉了，然后这个机器人迅速制造出和这些有钱有权的人一模一样的人，而这些人完全服从这个机器人的命令。这样，这些事实上死掉的有钱有权的人回到了他们以前的国家，这个机器人就通过他们控制了全世界的财富。美国是很强大，但我们不希望美国是那个机器人。

第六章

黄金、白银和美元：什么是可靠的投资

为什么不能买黄金只能买美元

黄金直到现在都是一种美好和真实的财富。在人类科技带动下，经济加速发展是永恒的规律，而与之相匹配的金融模式也在不断地新陈代谢。在统治中国几千年的铜钱成为收藏品之前，想到铜钱会退出货币流通领域的人很少。全球化下黄金元素的存在是永恒的，但黄金作为财富的这个属性是人类经济发展的需要赋予它的。一切"被赋予"的都会有它的历史时空的局限性，在特定条件下的"被赋予"，注定在特定条件不存在时，就完成了它的特定经济模式的使命。一切货币和具有价值作用的类货币都具有时代科技进步的内涵，全球化下又增加了资本套利的重要作用。货币是以方便人类交换为开始的，就必然要在人类经济发展中保持它的流动性。一种货币价值形式存在的时间、空间是在变化中的。

清朝光绪年间，国外造币机器进入中国，开始制造银元、铜元，比制作圆形方孔铜钱的成本低多了，用了2 000多年的铜钱让位给代表低成本和先进的造币机制造的钱币。在使用贝壳的那个年代，大多数人不会想到铜钱会取代贝壳。在铜钱使用了2 000多年的事实面前，那个年代的许多人恐怕不会想到铜钱会退出货币流通领域。但总会有少数人努力让货币更先进，20年前，很少人会想到现在电子货币的普及。现在这个全球化的时代，如果我们只看到货币工艺具有和代表先进科技的属性，而忽略全球化下的货币全球战略，那将是危险的。不要单纯认为黄金是单一抗通胀的。在人类金融系统的进步和全球化中，全球范围内的恶性通胀已经不具备发生的客观环境，而局部通胀也许会被套利者所利用。一个国家的货币战略作用反映了国家的综合状况，美元的内涵曾经是石

> 在人类金融系统的进步和全球化中，全球范围内的恶性通胀已经不具备发生的客观环境，而局部通胀也许会被套利者所利用。

油美元，石油价格会真实表达美国的货币政策。现在美元的内涵是经济调整期的货币，美元要完成美国的机构转型以及储备未来动能的历史使命。美元将是完成全球化下垄断的货币，其利于经济结构的最优和最高效。美元在美国高科技温床的培养下，代表一段时间内人类的主要货币，直到新的科技进步，而眼前的一切决定着你我的命运。

2010年以来，中国人非常热衷于谈论黄金价格。黄金现在每盎司超过1 600美元，而中国市场到处流传着美国高盛和中国经济学家将共同创造黄金美好未来的观点，为了对冲美元贬值的风险，未来每盎司黄金价格会到达3 000美元、5 000美元甚至1万美元。如果每盎司黄金价格未来涨到3 000美元或5 000美元，那真理永远掌握在少数人手中这一哲学肯定要改写了。当大部分

中国人相信黄金会带来财富时，真理就是听信美国高盛和中国经济学家将共同创造黄金未来而买黄金的人将破产。线性思维总会获得大部分人的认同，正如1798年马尔萨斯先生警告的，英国人将面临人口过剩和大规模饥饿，但是现在英国面对的是人口老龄化和营养过剩，因为1798年的马尔萨斯先生没有看到化肥和计算机的出现。

近期，美国一个黄金多头写了一篇批评巴菲特先生的文章，因为巴菲特先生看空黄金。

亲爱的巴菲特先生：

您的投资智慧给您带来了惊人的财富，等到我们的墓志铭被写就的那一天，您的成功无疑也将远胜于我。然而您最近将黄金与农场和埃克森美孚相提并论的说法是不恰当的，也给众多美国人带来了伤害。具体而言，您认为农业和石油公司等生产性资产可与黄金进行比较，进而暗示持有黄金以替代生产性资产并无真正的益处。从这个问题的前端来看，我认为您的话导致许多美国人得出结论：黄金对于投资组合而言是无足轻重的，甚至是令人生厌的。由于您在投资界的崇高地位，甚至投资专业人士都没有意识到您所比较的是两种有着天壤之别的资产门类，它们的风险特征和投资目标截然不同。不用说，石油公司和农场可以产生价值，这正是它们存在的理由。另一方面，黄金并非一种生产性资产，其存在理由因之而截然不同——在生产性资产给其所有者带来某种形式的财富之后帮助其保存财富。美国人需要作的一个投资决定是，到底是将财富储存在非生产性的纸币中还是非生产性的黄金中。大概理性的投资者都会将财富储存在长期表现出弹性的资产中，而非储存在美国。自从耶稣基督降世以来，按最低工资的等价物衡量，黄金作为一种货币几乎保留了其所有者100%的财富。相比之下，单是过去 100 年，美元就已经流失了 90% 的价值。与其嘲弄黄金的非生产性，打击美国人对其美元资产进行多元化的积极性，您不如指出一种可以保值且没有负债的资产，这具有巨大的效用，这才是善待同胞之道。今日美国人所缺乏的是风险管理常识：美国人应该将部分资产撤出以存款账户、债券等形式持有的不断贬值的美元，转到黄金等非相关的现金工具。如果我们透过这一棱镜来看待问题，一个更恰当的比较也许是将美元与"泰坦尼克"号进行对比。与"泰坦尼克"号一样，美元一度被认为是举世无双的，可以持久保值。今天的美元已经掺了很多水（以泰山压顶般沉重债务的形式），其悲剧在于不可能按当前形式得到拯救。我们还可对"泰坦尼克"号的乘客和投资者的行为做一番比较，某一刻，这趟毁灭性旅程的乘客意识到轮船在下沉，却没有足够的救生艇来救所有人。今天的市场正在意识到没有足够的黄金来保护所有人。先不管道义上的问题，我们想象一下"泰坦尼克"号上开始拍卖救生艇的情形。哀叹错过了便宜的救生艇而后拍卖的救生艇价格更高是明智的吗？从事后来看，买下一个座位是审慎之举，尤其是当一架救生艇的成本不过是一位乘客财富的零头之时。因为价格高而错过救生艇的不理性行为正是我们今天在美国日复一日所目睹的。亚洲人、阿拉伯人和全球最有钱的银行都是价格接受者，不顾价格高低不断买入黄金，而美国人却在哀叹错过了从 1 000 美元涨起来的这波行情。我们这个时代，政府的行为与美国人缺乏理性的投资行为之间形成了鲜明对照。历史告诉我们，美元不会一直存在下去，黄金将会保存财富，然而美国人几乎将所有净财富都放在美元里。美国人忘记了黄金独特而悠久的历史，忘记了它是一种被全球接受的货币。当我们展望下一个新兴的范式时，黄金的效用拥有 PayPal（贝宝）在 20 世纪 90 年代互联网泡沫兴起时所具备的特征，那就是无论商业景象最终如何变幻，对手都可以放心，黄金都可以提供其他交换媒介所无法提供的保护。

巴菲特先生，在您事业的黄昏时刻，您大声告诉美国人，无须将美元资产分散到黄金当中。等到最后，您必须知道这样的建议是对历史和风险管理的污蔑。在美元劫数难逃的情况下，您应该不愿被作为阻止美国人对其财富多元化的人来铭记吧。巴菲特先生，毫无保留地告诉美国人吧，告诉他们拥有与美元不相关的黄金敞口是运用资本的明智手段。

这封公开信反映了黄金多头坚信的"根据"，代表了全世界黄金多头集体的呼声。同时证明现实金融世界中，黄金市场中存在着空头。黄金多头有很多，巴菲特只有一个，而真理总是掌握在少数人的手里。

截至 2010 年 12 月 7 日，COMEX（纽约商品期货交易所）黄金 2 月合约价格收在每盎司 1 428.3 美元，盘中触及新的历史高点——每盎司 1429.5 美元。美国商品期货交易委员会最新数据显示，截至 11 月 30 日当周，以黄金互换交易商与黄金开采商为主的商业头寸多头头寸劲减 7 526 口（100 金衡制盎司为 1 口）。然而，以大型投行为主的黄金互换交易商却在此时选择了"留守"。从美国商品期货交易委员会黄金交易者分类持仓数据发现，在 11 月 30 日当周，黄金生产、贸易、加工企业净空头持仓较上周锐减 3 438 口，但黄金互换交易商净空头头寸却比上周净增 10 014 口。12 月 3 日伦敦黄金拆借利率显示，除了一年期黄金拆借利率 0.695% 略低于同期伦敦同业拆借利率 0.787 9%，一年期以下的黄金拆借利率均高于同期伦敦同业拆借利率 80~150 个基点，意味着央行短期借出黄金的融资收益将高于同期银行拆借利率。同时，说明市场有人在大量拆借长期黄金，在市场上抛空，也就是说，在美国高盛和中国经济学家共同创造黄金美好未来的时刻，全球市场有人大量拼命拆借长期黄金在全球市场上抛空，这个人是谁？

2010 年 12 月，美国投资银行的黄金套息交易规模已占据黄金空头阵营的半壁江山。美国商品期货交易委员会数据显示，截至 11 月 30 日当周，以投资银行为主的互换交易商持有黄金空头头寸达 194 437 口，占整个黄金空头仓位的 36.2%。这还不是投资银行沽空黄金的"峰值"。2008 年 9 月，美国商品期货交易委员会曾对黄金期货市场是否存在操纵进行过一次调查，发现 2008 年 7~11 月，包括摩根大通与汇丰银行等投资银行一度占据黄金净空头头寸的约 67%，其间每盎司黄金价格从首次突破 1 000 美元骤跌至 681.7 美元的年内新低，投资银行通过沽空黄金赚得丰厚回报。截至 2010 年 11 月 30 日当周，按黄金净头寸计算，COMEX 黄金期货市场前四大交易商黄金多头头寸与空头头寸的占比分别达到 22% 与 37%，意味着黄金沽空机构的头寸集中度远远高于买涨黄金机构的头寸。

2010 年 12 月初，美国国债收益率大幅上升，美联储庞大的资产规模面临真正的管理难题。问题在于美联储持有大规模美国国债。眼下美联储正在继续加速实施量化宽松货币政策，其措施是打算再购买 6 000 亿美元的美国国债，并将最多 3 000 亿美元的抵押贷款支持证券到期所得用于再投资。受此影响，美联储资产负债表上的美国国债规模正迅速增加。虽然美联储良好的盈利状况短期内不受威胁，不过，如果在美联储增加其资产组合的同时，美国国债收益率节节攀升，其盈利状况可能就没有那么乐观了。要查明美国国债收益率上升的原因并非易事。这一趋势或许是投资者对经济前景乐观情绪的反映，但同时也是对物价压力上升预期的一种体现。美联储可能会乐于见到这些动向，因为其目前主要关心的是通货紧缩风险以及美国劳动力市场疲软问题。然而美国国债收益率在量化宽松货币政策尚需实施数月之际就早早上升也存在风险。面对市场的迅速变化，控制美联储自身资产膨胀的工具或许很快将面临考验，美联储的资产规模现在有可能会达到 3 万亿美元。

眼下，困难还只是初现端倪。虽然美国国债暴跌后，美国国债市场又开始涌现买盘，但短短两个交易日美国国债收益率创出了两年来的最大升幅。作为美国借款成本关键驱动因素的 10 年期美国国债收益率达 6 月初以来最高水平。对于美联储而言，美国国债收益率上升、国债价格下降是一个重要的宏观问题。美联储实施量化宽松货币政策的既定目标是令借款成本保持低位，从而刺激经济活动并降低居高不下的失业率。另一方面，国债收益率上升有可能是投资者乐观情绪的体现。由于此前一些好于预期的经济数据公布，再加上投资者憧憬美国总统奥巴马与美国国会就减税和经济刺激计划达成一致，美国国债的吸引力有所下降。这些投资者撤出对低风险美国国债的投资，以便转战其他风险较高的投资领域，这应该是美联储所希望见到的现象。因此美联储最终要面对两个问题，这两个问题均涉及美联储的自身财务状况及独立性。费城联储主席普罗索指出了其中一个问题。普罗索表示，如果利率上升并且美联储为防止通货膨胀而被迫抛售国债，那么美联储将蒙受交易损失。如果这种情况出现，那美联储实际就是"搬起石头砸自己的脚"。所以，为防止这种情况出现，美联储的唯一手段是——美元大幅暴涨。

另外，美联储有权决定向银行存放在美联储的准备金支付利息。一些官员认为，这一工具对于控制美联储资产的膨胀十分关键。到目前为止，美联储资产负债表上有 1 万亿美元的银行超额准备金，如果这些准备金迅速流向信贷系统，则可能导致通货膨胀大幅上升。但如果美联储适当付息，则能防止热钱入市。到目前为止，向银行准备金付息不会让美联储花费很多。而如果通货膨胀率上升，这些准备金开始出现外流，那么美联储将不得不提高该利息。所以，为了有效控制 1 万亿美元的银行超额准备金的流出节奏，保持美元的实际汇率是至关重要的事。

现在，美联储手上有大约 3 万亿美元债券，美国财政部收购了大约 1 万亿

> 现实世界中，就需要"四两拨千斤"，用一个支点去撑起整个美元的上涨。在今天，这个支点就是黄金。

美元美国次级债债券，美国非金融部门手上有 2 万亿美元现金，美国金融部门手上有 1 万亿美元银行超额准备金，美国居民储蓄

创近 20 年的高储蓄率，可以得出美国有 8 万亿美元债券和现金组合，美国的核心战略 100% 是要美元暴涨再暴涨。美元怎么暴涨再暴涨呢？现实世界中，就需要"四两拨千斤"，用一个支点去撑起整个美元的上涨。在今天，这个支点就是黄金。

黄金市场的市值现在上升到 6 万亿美元了，黄金期货、纸黄金、黄金股票、黄金出产国家的信用违约掉期合约等，合计已经至少高达 10 万亿美元。就这样，这个支点开始形成了，之后让中国人疯狂地在全球黄金价格暴涨 500% 以后拼命去购买，一年时间就能使黄金市场包括黄金衍生品市场的 5 万亿美元以每盎司 1 200 美元成功派发给新兴市场的投资组合，再迅速全力让黄金在一年时间内暴跌 70%，那就等于在一年内从全球市场抽干 3.5 万亿美元流动性。请大家注意，美国 2008 年让雷曼兄弟公司倒闭，抽干了当时 5 000 亿美元的全球流动性。现在，只要大量中国人在黄金暴涨 500% 以后拼命购买黄金，那美国人就可以发动比 2008 年猛烈 7 倍的攻击，给中国房地产、中国股市和中国经济重重一击。

2020 年以后，美国的卡特彼勒、微软、苹果公司将面对 40% 以上的退休员工。当然，如果这一幕真的发生，那美国这个帝国也将彻底衰退了。如果现在美国通过黄金发动比 2008 年猛烈 7 倍的攻击，重创中国房地产、股市和中国经济，那美国世界就可能上演出大量中国优秀技术人才移民美国的一幕。

现在，日本的储蓄高达 13 万亿美元，日本拿出其中的一部分储蓄去全球购买黄金，日本就可以成为世界上强大的国家了吗？现在，没有一个日本媒体和日本经济学家拼命呼吁日本人应该购买黄金，这是为什么？这就是黄金价格

突破每盎司 1 200 美元后，巴菲特先生出来谈论黄金是个没有用的东西的原因。美国、日本、欧洲没有主流媒体和经济学家看好黄金。不能让他们先用黄金做大我们的流动性，再用黄金抽干我们的流动性，然后用黄金这个支点去撑起整个美元的上涨。

用黄金和白银对抗通货膨胀，必须是在中央银行容忍的周期中。因为用黄金和白银来对抗通货膨胀，其风险实际是最大的。首先，在中央银行容忍的通货膨胀上升的周期中，最终会出现货币价格被严重低估，同时，也意味着货币"复息"的强大力量将开始出现。这也是为什么 1980 年美国包括全球通货膨胀最严重时期，反而是黄金和白银大崩盘开始的原因。所以，2011 年 6 月 30 日，如果美联储第二轮量化宽松货币政策正式结束，那美国长期债券价格必定是疯狂暴涨，这明明白白是黄金和白银很快大崩盘的到来。这是当今全球交易市场的常识。黄金价格现在每盎司超过 1 600 美元，如果未来黄金大崩盘到每盎司 300 美元，那么黄金市场上的空头至少获利 3 万亿美元，这也意味着中国将面临重创。

在现有的纸币体系下，一定会发生通缩。1929 年大萧条时黄金尚未脱离纸币。而 2008 年世界性大萧条的爆发，充分体现了金本位或纸币本位同样具有大萧条的倾向。美国联邦基金委员会的一个重要宗旨是，银行应该坚决杜绝把一切经济活动判断建立在目前经济环境下的这种一成不变的"线性思维"。因为在人性集体性思维的大部分时间（也就是 99.9% 的时间）里，认为市场的所有风险都是可以同时规避的。而在那 0.1% 的时间里，人类处于集体性同步思考风险问题时，世界经济就会爆发大萧条。金本位或纸币本位下，那 0.1% 的可能是存在的，尤其美国核心层迫切需要廉价收购中国资产时更是如此。

为什么我一再说 2011 年中国不能再去购买黄金了？

首先，2009~2010 年中国发生了史无前例的房地产浪潮。这样，中国社会实际就产生了全社会"高杠杆"负债率，这时，从华尔街视角来看中国经济，就需要进一步加大"高杠杆"负债率，并且可以通过美元大幅上升来摧毁这个负债体系。所以，如果中国人在2011年以每盎司1 300美元以上的成本拼命购买黄金，就是在拼命进一步放大中国社会"高杠杆"负债率，更重要的是，黄金是美国人可以通过推高美元来摧毁的负债体系。

如今在全球化的商业模式下，西方套利资本的套利过程已接近尾声，黄金对于中国现已构成危险的一相情愿的"安全"港湾，是一个正在不断被放大的"美好希望"，是一个脱离全球化模式的虚幻的安全。在全球化下对所有中国产业的合理资金配置才是中国人民安身立命的最好的"黄金"，否则，在全球化下资源换回的宝贵资本，还没来得及提高中国核心竞争力，就会变成一块被搓来搓去的香皂，不知不觉变小消失。在全球化中养活中国人的农业产业、奶粉等民族企业才是全球化资本运作"化"不去的黄金。在黄金价格不断攀升的过程中，中国的大量民间资产集中投向了一个空头资本可以控制的包围圈，如同海边壮观的沙雕，注定会消失在海水的潮起潮落中。黄金的涨价就是美国暂时安慰中国的安慰剂，在中国人安稳的充满希望的发财梦中，美国圆满完成战略布局。美国会设计一个程序给已经被中国吹得很大的气球放气的。气球什么时候刺破的决定因素是美国的战略布局是不是成熟。美国的战略目标是农业货币，农业货币的形成就是对农业的垄断。1980年黄金价格达到每盎司850美元，当时在美国通货膨胀失控和苏联侵入阿富汗的火暴背景下，全世界投资者全部为每盎司850美元的黄金疯狂，然而黄金价格一年暴跌50%，并且在之后20年的漫漫熊途中下跌到每盎司250美元。1980年黄金大崩盘的原因非常简单——美联储在1979年8月被真正的反通货膨胀斗士沃尔克先生控制。可见，现实市场中唯一不变的定律是——资金成本决定价格。

1945年布雷顿森林国际货币体系开始运行，这也被称为"金汇兑本位制"，由于金汇兑本位制实际上存在严重的通货膨胀效益，所以1971年美国为了通货膨胀效益，主动停止了金汇兑本位制。有趣的是，随后诞生的美元本位制，也就是现在的国际货币体系，具有更严重的通货膨胀效益，这产生了世界经济爆发大萧条的高概率，2008年的世界经济大萧条就是比较好的证明。

人类的泡沫史（如郁金香、纳斯达克等）的发生，并不是因为人类人性中存在"泡沫恋爱的基因"，事实上是实体经济增长恶化，同时人为加速了经济增长的结果。1634年，荷兰实体经济陷入高成本结构性困境，荷兰皇室继续疯狂负债，荷兰通货膨胀预期失控，大量实体经济资本开始进入奢侈品领域，当时的郁金香培养困难，正好符合大量投机资本的胃口。1637年荷兰郁金香在上升了500%后崩盘，当时全球经济陷入大萧条。同样，1998年9月，美国纳斯达克指数从1 500点开始疯狂上涨，到2000年3月达到5 132点，随后又用不到两年的时间暴跌到1 100点。2000年美国纳斯达克指数的崩盘也正是由于全球通货膨胀预期失控。1998~2000年，东盟地区经济正处于1997年经济危机的打击中，日本经济和中国经济当时都处于比较严重的衰退中，同时美元价格处于高位，这种种结构性问题严重消耗了美国制造业的增长动能，当时，全球中央银行强烈推动世界经济"硬性"增长的做法，催生了纳斯达克泡沫。通货膨胀预期失控，而2011年3月中国"盐荒"只是失控的一个小小体现。

黄金是否会"套期"中国财富？"套期"的含义就是事先在市场上抛空，套取利润。首先，我们需要知道黄金的真正价值是什么。黄金的真正价值大家都知道，那就是对抗通货膨胀。所以，问题的本质是通货膨胀的程度和通货膨胀的时间幅度。我们看一个非常有趣的财富变迁例子。1626年，印第安人把现在的美国曼哈顿，用24美元的价格卖给了最早的美国移民们。400多年后，现在的美国曼哈顿经济规模为5 000亿美元。如果1626年印第安人拿到这24美元后，去购买利息每年6%的复息债券，那么到2011年的债券收益再把美国曼哈顿购买回来都绰绰有余。如果1626年印第安人拿到这24美元后，去购买30

盎司黄金，那么到 2011 年，按黄金价格每盎司 1 400 美元计算，印第安人手上有 42 000 美元，只能购买曼哈顿一栋非常普通的住宅。所以可以这样说，全球经济过去 400 年没有发生过一次真正的世界性通货膨胀，真正频繁周期性爆发的是通货紧缩或真正的"世界性大萧条"。

黄金市场的市值现在上升到 6 万亿美元了，黄金期货、纸黄金、黄金股票、黄金出产国家的信用违约掉期合约等合计已经至少高达 10 万亿美元。媒体、经济学家们与高盛联合起来点燃了中国人的黄金疯狂火焰，而黄金今天的用途 80% 是为人类补牙。今天，黄金价格暴涨 500% 以后，黄金市场的成交量也放出了前所未有的巨量。

如今美国华尔街有些人已经开始布局沽空中国房市了。如何达到在 2011 年底让中国房市暴跌 70% 呢？非常简单，就是让中国人疯狂地在黄金暴涨 500% 以后拼命购买黄金。美国的跨国公司和美国的金融机构囤积了高达 3 万亿美元现金，但它们没有一个进入黄金市场。或许，美国某个著名的对冲基金大量购买了黄金，但对冲基金交易的原则是同时双向持仓。也就是说，美国某个著名的对冲基金大量购买黄金后，也会大量购买黄金相应下跌的合约。现在，美国某个著名的对冲基金通过媒体和经济学家告诉中国人，它已经大量购买了黄金，但是它没有告诉大家，它同时也布局了大量沽空黄金的合约。

今天的经济和金融全球化是美国辛辛苦苦大力推广的，为什么？1997 年，美国成功套取东盟地区财富时，是通过大量在东盟地区交易市场抛空东盟地区货币合约，东盟地区中央银行被迫进场，大量买进这些美国对冲基金抛空的东盟地区货币合约。然后，美国对冲基金联手全力推高美元价格，进一步加速恶化东盟地区经常账户赤字和贸易赤字，引发东盟地区楼市和股市的大抛售，最终，东盟地区中央银行全部集体性破产，美国对冲基金成功套取东盟地区几千亿美元财富。现在，中国市场没有大量人民币外汇交易的地方，美国对冲基金没有办法复制 1997 年东盟经济危机中的做法来大量抛空人民币外汇合约。因此它们首先要建立"套期"中国财富的市场合约，然后才可以发动美元暴涨进攻。而现在建立"套期"中国财富的市场合约的最理想方式，就是诱骗中国人大规模购买黄金。所以，美国没有一个人大谈特谈美国的跨国公司和美国的金融机构囤积了高达 3 万亿美元现金的事情。美国现在这 3 万亿美元现金，为什么没有一分钱去购买黄金？是这些掌握世界巨额财富的人蠢，还是他们想继续牢牢地控制住世界？

谁的白银更疯狂

在通胀预期下，人类有记载的金融疯狂炒作对象是荷兰的郁金香，人类骨子里有一种跟风和炒作的基因。随着人类人口的暴增以及经济发展的周期性不协调，在任何领域、任何历史时刻，只要有些风吹草动，人们就会盲目和兴奋性投机，例如如今中国的房子、股票、黄金、白银、茶花、红木、绿豆、大蒜、辣椒、苹果、食盐等。每次炒作都以通胀预期为导火索，真的炒到通胀到来的时候，经济同时也进入了大萧条，这也意味着所有被抛起的"郁金香"自由落体的时刻到了。

美国的纳尔逊·亨特和威廉·赫伯特·亨特兄弟操纵白银案，曾是国际商品期货市场绽放过的"荷兰郁金香"，震动了那个时代的白银信徒们，由于参与人数众多、波幅巨大，成为了 20 世纪的一件大事。

相比亨特兄弟操纵白银期货事件，时代虽已不同，美国人换成了中国人，但面对"神话"，那痴狂的心没变。亨特兄弟和失控的追随者一起陨落。

1971 年，布雷顿森林体系的时候，白银价格约每盎司 2 美元。白银是电子工业和光学工业的重要原料，邦克·亨特和赫伯特·亨特兄弟俩策划开始投资坐庄白银期货。

1979 年年末，1 盎司白银的价格已经超过 30 美元。这时有许多重要的贸易商行和经纪公司也转而从事白银的投机活动。

在每盎司 35 美元的价位上，美国安格公司与亨特家族成交了 1 900 万盎司白银。市场投机活动的规模已经很大。

此时伦敦金商莫卡特家族分析认为银价必将下跌，于是空头出现了。在银价不断创造历史新高的情况下，他们开始大量卖出他们手中没有的白银——期货合约。他们利用期货合约的规定——合约到期的时候必须交付实物，否则必须在合约到期之前卖出期货合约——把交付实物的责任转移到下一个买家身上。他们做的是"击鼓传花的游戏"——用少量的保证金换取 10 倍以上的买卖金额期货合约，获取比较大的买卖差价，而将危机转嫁给期货合约的承接者。

亨特投机集团此时已囤积了 2 亿盎司的白银，总价值大约是 100 亿美元。1980 年 1 月初，COMEX 管理委员会被迫出台政策，开始限制大买主的买卖数额。这一规定虽然限制了投机行为，但是中小投机者买进白银的热情仍能使银价被不断抬高。银价已涨至每盎司将近 50 美元，面对失控的局面，纽约商品期货交易所管理委员会向疯狂的白银期货投机者们宣布：只许卖出白银，不许买进白银。这对白银上涨是釜底抽薪。在纽约商品期货交易所发布禁购令后 48 小时，银价就跌至每盎司 30 美元。对于看错行情的投机者来说，银价下跌得越快，他们的损失越惨。伴随着银价的不断下跌，越来越多的人被迫抛售白银，经纪公司也在拼命把手中的期货合约强制出售掉（结清多头头寸）。这又引起银价的新一轮大幅暴跌。许多白银投机者因此被迫退市。政策的一句话，再强悍的白银价格也只能飞流直下。

几天后，亨特家族也不得不追加了保证金，数额达到惊人的 9 亿美元。但是到 1980 年 3 月中旬，银价已跌到每盎司 20 美元的时候，亨特家族把自己推向了崩溃的边缘——已经没有资金平仓了。1980 年 3 月 27 日，刚开市时银价是每盎司 15 美元，当 Bache 公司的经纪人在电话里要求亨特家族再追加好几百万美元保证金用以平仓的时候，亨特家族回答说"我们无法追加保证金"，银价应声而落，在之后的几个小时内，银价下跌到每盎司 10 美元。

银市上许多投机者与亨特家族一样赔掉了全部家产，亨特家族失去的亿万财富，通过市场的自由机制，被转移到了这场游戏的胜利者手里，这是一场财富大转移的过程。美联储通过游戏规则的制定和发布，消灭了白银多头。

然而，当纽约商业交易所在美国商品期货贸易委员会的督促下采取包括提高保证金、实施持仓限制、只允许平仓交易等措施后，亨特兄弟因持仓成本大幅提高无法追加巨额保证金，又因接盘失败、银价下跌而无力偿还贷款，不得不抛售作为贷款抵押的白银现货，随即导致银市大跌。

相信白银和黄金会有"美丽明天"的，是一些认为世界技术革命会长期倒退的信徒式人群。问题是，如果人为在美元史无前例的强大腾飞的前夜制造"美元长期崩盘学说"，其用意何在？

亨特兄弟操控白银案殃及美国多家投资机构和法国、英国、加拿大、瑞士、德国等许多国家，尤其秘鲁政府因不断追加保证金，最终现汇不足被迫平仓，亏损极为惨重。法庭判处亨特兄弟支付数千亿美元的损害赔偿金。同时为了防止银市彻底崩溃，避免美国涉案大银行和美国最大的经纪公司破产，美国政府权衡利弊，最终拨出 10 亿美元长期贷款来拯救亨特家族及整个市场。如今在一些人和媒体的大力倡导下，正值中国全民抗通胀时期，进入白银市场的中国避险资金会怎么样呢？谁来救中国的白银投资者？30 年后白银又疯涨了，还会跌吗？白银真是伴随你一生最大的一次投资机会吗？

2000 年 1 月 1 日，中国人民银行宣布取消白银的"统销统购"政策，放开白银市场。2005 年时，中国净出口白银达 3 000 吨。一直到 2007 年转变为净进口国。这一趋势在 2010 年显得尤为突出。2010 年中国白银进口额创下历史纪录，净进口量达到 3 500 吨。一年内，中国白银净进口量比 2009 年激增近 4 倍，总进口量更达到 5 159 吨，增长 15%。汤森路透公司的数据显示，中国对包括银粉、未加工银和半成品的白银进口一直在增加，2010 年的进口已占到全球供给的 10% 以上。

全球经济增长前景疑虑挥之不去，在中东、北非等不稳定因素下，促使市场资金再度青睐黄金、白银等避险资产。白银投资者乍得·麦克奈尔说："我对将来美元的信心为零；随着我们不断地印制钞票来救援银行和企业，我们将不断地毁掉美元，到时候，硬资产就会独步天下了。"中国在媒体的渲染及经济学家的引导下，也正在达成美元会一直贬值的共识，把一切投资都建立在"对将来美元的信心为零"的基础上。这是谁的结论？是谁给你的结论？这个结论在现实的金融世界里真的"可持续"吗？如果现实中对美元的结论是相反的，谁能挽回你的损失？谁可以为你的身家性命负责？

2010 年投资市场的黄金热可谓达到了一个前所未有的高潮，随着黄金价格的攀升，白银顶着"百姓黄金"的称号，在 2010 年涨幅高达 82%。进入 2011 年以来，叫卖白银的声浪如同擂起的战鼓，一阵紧过一阵。《低门槛的银条投资越来越受到市民青睐》、《一周扛走 1 吨多银条 价格只及金条 1/50》、《一年涨 5 成多 白银赚钱比黄金快》、《波动虽大 长期仍看好》、《白银 4 个月涨了一倍 市民开始热衷投资银条》……伴随这些让人只争朝夕的标题，2011 年 3 月 8 日 15 点 51 分，现货白银价格触及 31 年来新高——每盎司 36.46 美元。一时间白银上涨的理由更是在媒体上铺天盖地：白银的需求将日益增加；白银以其工业刚性需求推动，商品属性将拉升银价；相比于黄金，白银是工业必需品，消耗量大，白银的储量 70 年前是黄金的 10 倍，而今变成了 1/5；从需求来看，白银在工业行业广泛应用，占年度消费的 55%；白银的第二大用途为制造珠宝和餐具，占市场的 30%；随着全球经济的缓慢复苏，这一需求量还将增加；以原油为代表的全球商品期货仍处于牛市当中……似乎有一万个理由说明白银价格应该上涨。

白银投资豪客主要分三类：一是上了年纪的老人，他们对白银有深厚的情结；二是买来送礼的人，一个银条几千块适合送礼；再有就是一些中产人士，期望买些白银以达到保值抗通胀的目的。国际银价涨势凶猛，而在中国国内，在楼市遭遇严厉调控，A 股市场持续低迷的背景下，不少投资者开始将资金从股市和楼市中撤出转投白银，白银投资更是成为贵金属市场继黄金投资之后的新兴奋点，对于中国人来说，抗通胀又多了一个安全港。这种每克售价还不到 7 元的投资型银条的低价格，方便了大批收入不高的普通百姓分次投资，今天有钱买一点，明天有钱再买一点。对白银投资增值潜力的坚信，加上钱再少也必须"投资"的原则，使人们相信白银和黄金一样拥有抗通胀、保值的功能，家庭里面放一点白银也可以作为一种储备。全球化下的白银市场不可能永远是货币，虽然投资门槛较低，但如果今天中国人追捧的白银是亨特兄弟操控下的再版，以悲剧收尾的会是什么人？悲剧会波及买不起黄金的更低收入的家庭。

2008 年下半年的全球金融危机就让中国湖南永兴县的冶炼商感受到了白银市场的巨大风险。当时白银价格在短短 7 个月内从每盎司 21.19 美元，暴跌至 8.44 美元，跌幅接近 60%。湖南永兴县众德集团企管部部长曹小平心有余悸地回忆说："2008 年完全超出我们的想象，最高到了 4 000 多元一公斤，最低降到 1 800、2 000 元，我们完全没想到会到这个地步。我们想 4 000 多元最低降到 3 000 多了不起了，但是没想到一下子滑了下来。"在 2008 年全球金融危机时期，白银价格的暴跌让白银持有者痛心疾首，痛苦期持续一年多。现在美国的金融救助政策已进入尾声，即将开启新一轮的经济腾飞，白银还会受到青睐吗？接最后一棒的白银投资者的后果是什么？由于黄金价格近两年不断突破历史最高纪录，白银逐渐成为黄金的一种替代品。中国日益增长的中产阶层逐渐认同白银这种"穷人的黄金"，并以其作为一种保值工具。然而，白银会不会成为"穷人的坟墓"？

目前白银这种来势汹汹的上涨趋势是惊心动魄的，充分体现了众人拾柴火焰高的现象，大有一种只有更高没有最高的气势。目前，从整个购买白银的用途比例来看，投资类的白银占的比重不到15%，也就是说，在白银这个市场里，有不到15%是投资需求，也就是这不到15%把整个白银价格热热闹闹地推了起来。金价涨的核心推动力就是中国人一致认为美元会持续下跌。现在，如果目前的中国经济增长速度和美国经济增长速度保持不变，中国经济将在30年后超过美国经济规模。不过，在人类可知的历史进程中，所有的老牌帝国都会对新崛起的新兴大国进行军事或经济打击，苏联的解体和1989年后日本经济的长期衰退，就活生生体现了美国如何通过金融和经济手段有效打垮对手。现在，美国在中国有大量楼市和股权等投资，如果美国通过大规模抛售持有的大量楼市和股权等中国投资，我们还可以组织力量去有效反击。但是如果美国通过引诱中国人以每盎司1300美元的成本拼命购买大量黄金，然后通过全球黄金市场建立大量黄金空头合约，再全力推高美元，最后全力让黄金价格崩盘，那时就不仅仅是美国在黄金市场获利几万亿美元的事情，而是在中国经济最脆弱时刻重创中国。

过去10年的经济和金融全球化，最重要的推动力来自"劳动力套利"，就是发达国家的大型企业大量向新兴市场转移劳动力密集产业，通过新兴市场的廉价劳动力获取发达国家产业"再定位"。这期间必定会产生大量投机资本进入新兴市场，并且由于之前中国中央银行容忍或鼓励了中国房地产泡沫，海外大量投机资本和中国国内大量投机资本自然疯狂投机中国楼市，最终迫使中国全民参加中国楼市投机"风潮"。发达国家希望中国长期处于全球产业低端配置，而中国的大量资本也在投机房地产——这个产业低端配置。这样，长此以往，最终导致了中国劳动生产率严重下降，这也是我们看到现在一个大学毕业生每月收入 2 000 元人民币，而一个好的木工收入每月可以达到 1 万的一个原因，中国今天为什么通货膨胀的主要问题也在于此。

1929 年的世界性大萧条和 2008 年的世界性大萧条的本质完全不同。唯一相同的是，它们的爆发地都是美国。1929 年，世界经济的核心经济国美国存在着严重的产能过剩和世界投资过剩。美国在 1929 年是世界最大的贸易盈余国和最大的海外债券持有者。贸易盈余国必定产能严重过剩，而最大的贸易盈余国也必定是最大的产能严重过剩的国家。所以，1929 年美国经济必定遭到最大的产能严重过剩的打击和全球最大的债券亏损。1932 年美国经济失业率高达 25%，而 2010 年美国经济失业率是 9.4%。

2008 年美国是全球最大的贸易赤字国家和最大的高科技盈余国家。2008 年美国经济的恶化仅仅局限于房地产，在美国住宅投资顶峰时期的 2005 年，这部分投资也仅占 GDP 的大约 6%。所以，全球最大的贸易赤字国家和全球最大的高科技盈余国家的经济衰退，必定引发"资本赢利的再生空间"。美国经济在 2009~2010 年经过成本的高强度调整，其企业的全球定价能力开始恢复，并且是长周期的能力恢复，这就是美国股市为什么在 2010 年有世界最亮丽表现的原因。

大家应该明白，1929 年的大萧条对美国经济是一场不可抗拒的灾难，所以在 1932 年后持有黄金是最正确的。但是，2008 年的大萧条是美国经济"结构优化"的产物，美国经济正在进入高速增长周期，而 2011 年黄金价格就将踏上毁灭旅程。两次本质根本不同的经济大衰退，我们却经验主义地用同样的购买黄金的手段保值财产，是不是太荒唐了？

白银在 2011 年 5 月 3 日出现 30 年来最大的单日跌幅。投资者跟随索罗斯抛售白银，这种贵金属的价格进一步下跌。5 月 5 日，据美国交易员说，追捧白银的人可能还有这样一个法宝：迹象表明中国人仍在买入。一位拥有大额黄金和白银头寸的对冲基金经理说，要是中国人没有大幅买进，那我马上就会做空。2011年5月，卡鲁索·卡布雷拉报道称，亿万富豪卡洛斯·斯利姆几周来一直在抛售未来两到三年到期的白银期货和期权，以对旗下矿企Minera Frisco（MFRISCO）的生产进行对冲。据知情人士透露，索罗斯的大型对冲基金、知名投资人约翰·伯班克运营的一个公司和其他一些重要的投资机构，在过去两年疯狂囤积贵金属之后，最近都在抛售。

芝加哥经纪公司R.J. O'Brien的总裁迪戈南说，每个人都想离场。对于那些通过期货市场而非ETF（交易所交易基金）投资白银的人来说，交易商和经纪商提高了交易保证金的要求。保证金是投资者因持有期货合约而必须缴纳给经纪商的一笔钱。大宗商品交易商芝加哥商业交易所控股公司一周内三次提高白银期货的交易保证金。白银期货的许多投资者大量利用借入资金来投资，他们现在面临的状况是向经纪商缴纳更多的保证金，或者将一些期货合约平仓。这是当年亨特兄弟的再轮回。

近两年，索罗斯的对冲基金公司大举买进黄金和白银，成为规模最大的黄金交易所买卖基金SPDR Gold Shares的第七大持有者。还有其他一些口碑极好的人士，包括Passport资本公司的伯班克和Pennant资本公司的傅尼叶，也一直非常看好贵金属，这给了个人投资者跟进的勇气。如今，他们开始卖出白银，理由也各不相同。尽管很多人买进黄金是为了防范未来的通货膨胀，索罗斯基金管理公司买进黄金却恰恰相反，是为了防范通货紧缩，也就是消费价格的持续下跌。据知情人士透露，索罗斯公司眼下认为通货紧缩的可能有所降低，没有必要再大量持有黄金。该公司由基思安德森运营，管理着280亿美元的资产。据上述人士透露，过去一个月左右，索罗斯基金卖出了持有的大部分黄金和白银投资。Pennant资本公司的傅尼叶也一直在卖出黄金。傅尼叶认为，市场将迫使美联储结束量化宽松货币政策，开始加息。为什么看空白银的理由是完全可以忽略不计的？因为他们的资金经过了长时间的布局，已经到了瓜熟蒂落的收获期，而收获的就是中国人口袋里的钱。

白银走势和中国股市的同步下跌（如下图），反映了中国百姓在紧缩消费，同时证明中国百姓是白银的最后庄家。

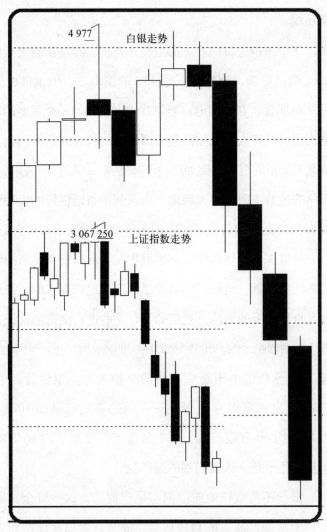

图 11 白银走势和中国股市的同步下跌

全球商品市场的再次大崩盘

铜是全球经济中一个至关重要的纽带，几乎每一幢建筑物和电路都会用到它。2011 年 2 月，铜价连破数个历史纪录，飙升至每吨 1 万美元。预言铜价在2011 年年底前可能突破每吨 1.3 万美元的声音一直没有断过。人们普遍认为全球铜资源即将枯竭。

但事实上，在中国铜进口门户上海港口外高桥，却堆积着大量的铜。虽然中国是世界第一大铜消费国，消耗着全球 40%的铜供应，但铜供过于求的现象在2011 年初却越来越明显。在中国港口能够找到大量铜的一个重要的原因在于，铜正在迅速被中国房地产商人广泛用做借贷协议中的抵押品。中国企业，包括一些与现货铜市场毫无关系的企业（例如房地产开发商），通过进口铜来获得资金，由此绕开中国严格的放贷上限。中国房地产商人利用当地银行的短期信用证从海外进口铜，接着抛售到上海期货交易所。因为短期信用证不需要立刻付钱给银行，更确切地说，它就等于一张信用卡。而用抛售在上海期货交易所的铜合约，即可以到银行申请高比例贷款。这样，铜成为了中国房地产商人的一张信用卡，这张信用卡支持着几百亿美元的泡沫。更糟的是，这些进口融资协议让全球大量的铜进入了中国市场。铜创纪录的高价还导致中国废铜激增，进一步增加了供应。

这些因素共同导致了中国仓库存货的急剧增加。据估计，中国海关保税仓库——铜在缴税之前可以存放于此——内的存货已从 2010 年 12 月中旬的30 万~40 万吨增至约 60 万吨，而上海交易所库存增加了约 16 万吨。这些在中国增加的铜数量，几乎是全球新增加的铜产量。

可以看到，银行不负责任地向中国房地产放贷，这些资金正通过商品贸易融资大量进入中国房地产商人的负债体系，同时，中国房地产商人和中国市场成为拼命囤积全球大部分过剩铜的场所，并且是以史无前例的高价格进行囤积。

同时，中国正迅速用史无前例的价格大量买进全球铁矿石公司股权。问题是，巴西淡水河矿产商正在大规模增加产能，也就是到 2012 年或 2013 年，巴西淡水河矿产商产能将惊人地提高超过 100%。2012 年或 2013 年，全球铁矿石产能将严重过剩。

终于，2011 年 3 月 30 日，中国市场铜高杠杆问题促使中国国家外汇管理局发布了"关于进一步加强外汇业务管理有关问题的通知"，对转口贸易项下外汇收入的结汇和划转提出了更严格的要求，并下调了预收货款和 90 天以上延期付款的基础比例。这一规定迅速在伦敦金属市场引发一些猜测，称中国国家外汇管理局公布的这一规定将严重影响中国铜进出口贸易，迫使中国企业大量抛出铜库存，进而造成国内铜价"崩盘"。

显而易见，中国的房地产商人已经成为世界铜市场的重要多头力量。2011年 4 月 5 日，中国中央银行加息 25 个基点，结果 4 月 6 日，上海期货交易所开盘后，铜期货交易大幅上涨。

2009 年开始的这一轮全球商品牛市，很重要的因素是 2009 年 3 月，美联储的量化货币政策导致大量货币流入新兴市场，主要是中国、巴西、俄罗斯、土耳其、马来西亚等，资金流入量高达这些国家 GDP 的 7%。正常时期，这样的资金流入量需要用 3~5 年时间，而现在只用了 1 年时间。

在中国，根据统计，已披露年报且具有可比数据的 1 105 家非金融类上市公司中，2010 年末存货合计 1.8 万亿人民币，与 2009 年相比，这些公司的存货净增加了 4 157 亿人民币。而在金融危机爆发高峰期的 2008 年，这些公司的存货是 1 万亿人民币，当年年度存货净增量 1 620 亿人民币，但是 2010 年，这些公司的存货净增量已为 2008 年的 2.5 倍。

此外，通过对比单季度数据不难发现，到 2010 年下半年，中国这些企业的存货量明显增加，并在 2010 年第四季度达到高峰。在中国经济高速发展的带动下，巴西的信贷增速是名义 GDP 的 2.4 倍。因为中国已经成为巴西第一重要的贸易伙伴，2010 年巴西对中国拥有 52 亿美元的贸易盈余。

尽管巴西通胀率下降至 6% 的长期价格中等水平，但巴西银行业放贷的平均利率接近 25%。而消费信贷利率远远超过了 30%。这意味着，巴西借款人正在支付约 20%~25% 的"实际"利率，而大多数国家的名义利率仅有 1%~3%。

巴西的借贷成本昂贵得带有一些惩罚性。具体就消费者而言，影响是巨大的。偿债负担升至可支配收入的 24%，并可能随着加息而进一步上升。巴西偿债负担到 2012 年将升高到 30%。比较而言，当偿债负担触及 14% 水平时，美国消费者就会"崩溃"。换言之，从现金流的角度看，巴西消费者的债务负担是美国消费者的两倍，而后者还被普遍视为在过度举债。巴西的形势与美国次贷危机有些类似，这让人感到不安。大量的贷款被银行以高利率贷给消费者。最终消费者将无力偿还这些贷款。这里还有一些不祥之兆：被经济学家约翰·肯尼思·加尔布雷斯称为"贪污"的行为开始出现。2010 年 11 月，小型贷款机构泛美银行被发现隐瞒消费信贷亏损，隔夜这家银行就进行了重组，其在 2010 年全年股价下跌 62%。随着巴西央行进一步发现其会计活动异常，泛美银行被"亏本"出售给 BTG Pactual。

尽管与美国有些相似，但巴西也有独特之处。巴西在大举放贷期间基本上没有建立风险管理基础设施。而"消极的"信用管理局只记录违约客户的信息，这使得借款人在贷款机构不知情的情况下就可以建立多重信用额度，尤其是考虑到大多数贷款是"无担保贷款"，不涉及任何担保品。

从金融角度看，巴西陷入如今的境地是金融体系失效的结果。银行业体系的经营成本与资产比率达到了令人吃惊的 4.2%，而中国和印度银行的这一比率分别为 1.1% 和 1.6%，这种巨额经营成本使得信贷成本保持在异常高的水平。

从宏观角度看，低储蓄率和汇率高估正在对巴西的增长率和经济竞争力造成压力，因此巴西有必要推动金融体系举债经营，以支持增长率与其他金砖国家相符。巴西的问题在于，它需要迅速货币贬值。

莱坊房地产经纪公司近期发表报告称，随着借贷成本不断上升而信贷持续收紧，印度房地产行业正面临着"大规模困境"。报告指出，一旦房地产开发商的资金链断裂，大规模降价抛售就将出现。

莱坊房地产经纪公司驻印度市场总监阿米特·戈恩卡指出，印度房地产开发商正承受着巨大的还贷压力，预计未来2~3年内，印度房地产开发商将向国有银行和其他私营金融机构归还大约1.8万亿卢比（约合408亿美元）的贷款，而这些贷款正由于不断加息而变得日益庞大。随着信贷政策收紧，许多放贷机构开始要求开发商提前还款，使得开发商的现金流承受压力。

为了遏制不断飙升的通货膨胀，印度央行已经连续6次加息，累计加息150个基点。在2011年3月17日的最近一次加息后，印度基准回购利率从6.5%升至6.75%，印度央行还同时将反向回购利率提高25个基点至5.75%。最新数据显示，印度消费物价指数涨幅2011年可能会超过两位数，导致印度央行继续推高市场成本。

房产服务公司仲量联行（Jones Lang LaSalle）印度业务首席执行官达特2011年3月曾指出，印度很多房地产公司的融资利率已经上升至21%~25%，而同期销售量则下跌了将近一半。印度房地产研究机构Liases Foras的数据显示，孟买的房屋库存周期已经上升到28个月。

全球商品期货市场已经在2011年2月开始反映出印度房地产市场的糟糕状况。全球经济的增长模式本来是通过美国市场的大规模负债来推动世界经济增长；2008年后，变为新兴市场通过大规模负债来推动世界经济增长。

问题是，新兴市场的劳动生产率是发达国家的40%~50%，所以新兴市场的通货膨胀上升具有国际间相互扩散性，即印度、巴西、中国、俄罗斯、印度尼西亚都会同时出现通货膨胀问题，并且它们之间的通货膨胀具有互相传递的能力。

现在，全球商品市场的大崩盘比 2008 年商品市场的大崩盘更为严重，因为 2008 年是美国引发的世界经济大萧条，而美元是目前世界的结算货币，所以，美元货币要出现暴涨，这样美联储和美国国会就可以大规模推行量化货币政策和宽松财政政策。同时，全球市场所有中央银行和财政部都可以同时、同步推行量化货币政策和宽松财政政策。

如果未来是新兴市场引发的世界经济大萧条，那"美元套利交易者"会拼命逃离新兴市场。届时，新兴市场如印度、巴西、中国、俄罗斯、印度尼西亚等国家，都只能"紧缩货币、紧缩财政、货币贬值"。所以，依靠新兴市场推动全球经济，是人为制造全球第三次大萧条。

> 即将再次到来的第三次世界性大萧条对于新兴国家，将是长期和残忍的真正世界性大萧条。

2011 年 6 月，中国中央银行货币政策的进一步紧缩和美国长期债券收益率上升的同步力量的结合，或许是全球商品市场"地狱之门"的开启。现在，我们回到上一篇的内容——长期的问题是，未来美国就业市场的改善，也将极大地推动美国房地产价格高涨，2012~2013 年美国中央银行将回归"防御性货币政策"，因为在物价指数中房地产价格占比高达 1/3。2012~2013 年的美元，不是美国的问题，主要是新兴市场的问题，因为只要美元价格保持强势，那么所有的新兴市场国家都必须进一步"紧缩货币、紧缩财政、货币贬值"。所以，第三次世界性大萧条是长期的新兴市场货币严格紧缩的问题，在这场大萧条中，铜将会暴跌到每吨 1 300 美元历史低位（而在 2012~2013 年人民币贬值的环境下，用人民币计价的铜价会很高）。2008 年 2 月，我认为即将到来的第二次大萧条会是短暂的世界性大萧条，而即将再次到来的第三次世界性大萧条对于新兴国家，将是长期和残忍的真正世界性大萧条。

第七章

美元时代的到来

美国经济调整接近尾声

黄金神话的逻辑，就是美国经济大崩盘。美国东部时间 2010 年 12 月 23 日，随着圣诞节倒计时的来临，美国假日消费进入最后冲刺的阶段。这里有些重要的数据：中国香港 2010 年 9 月出口额比上个月增长 24.1% 至 2 802 亿元，特别是出口美国，已连续 5 个月升幅逾两成。9 月是香港圣诞节订单开始出口的月份，这个月出口美国升幅达 21%。

美国经济的持续稳定和政府推出的刺激政策，使 2010 年美国假日消费一扫前两年的阴霾。经济学家曾预测，2010 年美国假日销售将上涨 5%，这是 2005 年以来美国消费最好的一年。对大多数美国消费者来讲，圣诞节前早上出门的第一件事恐怕就是直奔商场，购买尚未准备好的圣诞礼品和家庭用品。据消费调研机构数据，圣诞节前那个星期五的消费达到年底假日消费的最高潮，堪称感恩节"黑色星期五"的再现。在备受经济危机困扰两年之后，2010 年美国经济的改善以及感恩节高涨的消费特别激励零售商，而临近圣诞节最后几天的销售对零售业则至为重要。对他们来讲，圣诞节前的全力冲刺将至少带来该年度 1/3 的收入，能够为 2010 年画上完美的句号。据消费研究机构数据，圣诞节前的 10 天通常可以为商家补充 31%~34% 的假日季零售收入。2010 年圣诞节最后一个周末的消费明显高于 2009 年 12 月 17 日至 19 日的消费总数，达到了 188.3 亿美元，仅星期六当天的消费额度即达到 75.8 亿美元，购物人数更是同比上升 3 个百分点。在此之前，感恩节"黑色星期五"销售收入为 106.9 亿美元，而圣诞节前最后一个周五的消费是第二大销售的星期五。

　　如此巨大的消费力度，2010 年的假日消费季美国人究竟在买些什么？根据万事达卡调研顾问公司对所有支出的跟踪报告，数据显示，从 2010 年 10 月 31 日开始，美国人的消费主要集中在服装、奢侈品以及家具方面。2010 年商家推出的折扣促销力度堪称再创新高。美国最大的连锁商场之一梅西百货公司，推出了 30 个百分点的折扣；CVS 公司则推出"买二送一"的液晶电视和 DVD 播放机组合套装；百思买也推出限时低价促销，部分产品折扣超过 40%。同时，美国商务部公布的数据显示，2010 年 11 月个人收入上涨了 0.3%。经济学家预测，鉴于年底分配红利以及股市向好等因素，2010 年 12 月美国个人收入将继续上涨至少 0.2 个百分点，而 2010 年的假日销售将上涨 5%，这是 2005 年以来美国消费最好的一年。尽管 11 月个人收入持续增加，但相比 10 月份，个人存款减少了 0.1 个百分点。在美国失业率徘徊在 9.5% 附近的时候，美国罕见的 6.5% 的良好储蓄率与美国财政的支持，启动了美国市场消失长达 2 年以上的消费气氛。

　　美国道琼斯指数 2010 年 12 月 23 日上涨到 11 573 点，再次刷新了两年多来的收盘纪录，同时，标普 500 指数升至雷曼兄弟公司倒闭以来的最高位。美

国商务部公布的数据显示，第三季度美国GDP的增幅从之前公布的 2.5% 上调
为 2.6%，显示了美国经济复苏的势头。2010 年 11 月美国的旧房销售环比增加
了 5.6%，总量按年率计算达到 468 万套，对市场起到了鼓舞作用。美国基金经
理 12 月重新建立其股票持仓，仓位达到 2010 年的偏高水准。道琼斯指数离历
史最高位 14 198 点还有多少动能呢？在 2010 年最后几周的时间里，全球范围
内的并购热潮陡然升温。12 月 23 日，澳洲矿业巨头力拓宣布以 39 亿美元的报
价收购澳大利亚焦煤企业 Riversdale 矿业。与此同时，在北美、欧洲、拉美等全
球各地也频频传来资源、银行以及食品等行业的并购消息，而凯雷、黑石等私
募基金大鳄也在跃跃欲试，积极筹集并购基金或是寻找潜在目标。

　　加拿大第二大银行多伦多道明银行宣布，将以 63 亿美元的价格收购克莱斯
勒金融公司，打造北美地区最大的汽车贷款公司之一；美国 Alpha 自然资源公司
已向竞争对手 Massey 能源提出收购要约；全球最大的维生素生产商荷兰 DSM 公
司同意收购美国婴儿食品材料生产商 Martek 生物科技公司；美国凯雷投资集团
正就收购阿姆斯特丹资产管理公司 AlpInvest 合伙企业进行谈判；私募基金巨头
黑石已快完成并购一只规模达到 150 亿美元的基金，这将是有史以来同类基金
并购规模最大的一次。2010 年全球范围内的并购活动出现了 2007 年来的首次增
长，2010 年已公布的并购交易规模增长了近 20%，达 2.25 万亿美元。全球经济
正处在一场史无前例的并购周期的"开端"，这种并购周期通常会持续 5~6 年。
这场史无前例的并购的结构性环境，是美国非金融部门手上有高达 2 万亿美元
的现金，美国金融机构手上有 1 万亿美元超额储备金。

　　还有，美国这个超级帝国第一次挣脱了能源的束缚。作为石油的替代品而
获得补贴的美国乙醇，目前出口量正达到创纪录水平。乙醇出口量的不断提升，
将成为有关混合燃料税收抵免辩论的核心内容，这些抵免措施本在 2010 年年
底期满。现在，美国国会将乙醇的税收抵减政策延期了一年。美国乙醇大部分

提炼自玉米,而乙醇出口增加了对玉米的需求。据美国农业部数据,2010年的玉米收成中,有近4成变成了乙醇燃料。美国政府之前公布的数据显示,2010年,在截至9月30日的前9个月中,美国共出口了2.51亿加仑的乙醇燃料,较2009年全年出口量增加了一倍以上。美国2010年已成为乙醇燃料净出口国。由于数据内并未计入出口前已与汽油混合的乙醇,实际出口数字可能更高。德国汉堡咨询公司FO Licht的克里斯托弗·伯格估计,混合燃料让美国出口至欧洲的乙醇总量增加了50%以上。美国前几位乙醇出口目的地分别为:加拿大,7 500万加仑;荷兰,5 800万加仑;英国,1 000万加仑;阿联酋,500万加仑;沙特阿拉伯,17万加仑。贸易商出口的混合燃料中,有一部分享受每加仑45美分的税收抵免。根据美国国会预算办公室的数据,2009年,生物燃料的税收抵免政策,让美国总共减少了60亿美元税收。

美国汽油需求进入了永久性下降结构。到2030年,美国人的汽油消耗量将比今天减少20%,即便那时的汽车数量又增加了许多。美国的汽油需求量在过去70年中几乎一直都在增长,但随着美国汽车节能水平的提高,以及美国政府对生物燃料的推广,美国对汽油的需求正在萎缩。美国政府以及包括埃克森美孚CEO在内的能源行业大亨均表示,美国汽油需求量的峰值已经永远过去。

天然气出口国论坛秘书长博哈诺夫斯基2010年10月25日宣布,美国正在考虑加入天然气出口国论坛这个"天然气欧佩克"的可行性问题,并就加入该论坛事宜展开积极的谈判。天然气出口国论坛新一轮部长级会谈于2010年12月2日在多哈召开,重点讨论了2011~2015年的世界天然气市场发展战略。该组织在俄罗斯主导下于2001年成立,2008年底通过成员国政府间协议的形式得到法律地位的巩固,目前的主要成员国有俄罗斯、伊朗、阿尔及利亚、阿联酋、卡塔尔、文莱、玻利维亚、印度尼西亚、利比亚、马来西亚、尼日利亚、埃及、委内瑞拉、赤道几内亚等,挪威、荷兰和哈萨克斯坦则是观察员国。该组织成立的主要目的是为了协调成员国在世界市场上的行动，制定符合各方利益的共同政策。美国最初坚决反对该组织的成立，称其是仿照石油输出国组织模式组建的垄断组织，欧洲大部分国家担心"天然气欧佩克"成员国协调一致行动，在天然气市场上结成价格同盟，进而对消费者提出苛刻条件，现在，俄罗斯、伊朗、卡塔尔已探明的天然气储量高达 10 万亿立方米，占全世界储量的 55%。2007 年美国曾试图从法律上禁止成立欧佩克式的天然气垄断组织，威胁对参与者实施经济制裁，国会还曾讨论通过了一项经济制裁法案，最后被时任总统的小布什否决。俄罗斯政治和经济沟通研究所总经理奥尔洛夫认为，美国此前是天然气出口国论坛的主要反对者，现在却要谈判加入该组织，这种立场的变化确实幅度较大，但并不令人感到特别意外。这一决定可能是因为美国精英已经完全意识到，天然气出口国论坛是影响世界天然气市场的现实机制和现实工具，今后可能会成为主要工具，如果不能阻止其倡议，那就应当成为积极的参与者，保护国家能源利益的意图战胜了美国对伊朗和委内瑞拉的负面态度。作为老牌的天然气进口大国，美国近年来开始大幅增加本国天然气开采量，同时减少进口量。2010 年美国天然气产量高达 6 200 多亿立方米，6 年来首次超过了俄罗斯（2010 产量仅为 5 820 亿立方米）。根据英国《金融时报》的预计，今后美国的天然气年产量将达到 5 840 亿立方米，而俄罗斯天然气工业股份公司 2011 年的开采量预计为 5 200 亿立方米。

美国已经开始了工业再生。美国天然气产量正在不断上升，呈现出 50 年来不曾看到的景象，这不仅使燃料价格下降，也扭转了美国国内天然气田衰减不可逆转的传统看法。新钻探热潮使用了先进的技术，将遍及北美洲巨大页岩层中的天然气释放出来，而此前北美洲天然气产量长期不足。天然气是最清洁的化石燃料，其二氧化碳排放量少于煤和石油。天然气产量增长对美国消费者和企业来说，具有深远的重要影响。未来 10 年中，美国天然气供应的持续增长，将减缓公用事业费用的增加，降低天然气进口需求，使能源密集型产业更具竞争力。最近天然气产量的增长毋庸置疑，天然气产业界的许多人士认为新时代即将来临，美国越来越多的华尔街分析师和国会立法者也异口同声地支持这个看法。各企业在新天然气权益方面展开的竞争，引发了租赁和钻探的狂潮。美国最大的天然气生产商之一Chesapeake能源公司董事长兼总裁奥布莱·迈克伦登表示："这几乎是天赐的干预。此刻，石油价格正在飙升，而我们正在与衰退的经济作斗争，我们担忧全球变暖，国家安全仍然面临巨大的威胁。我们意识到，我们还有大量的天然气。"

美国天然气增加的产量大部分来自页岩气产区沃斯堡市周边的巴耐特页岩区，在这个地区开发的几年时间里，天然气产量增速显著，同时美国国内的石油产量却在持续下滑。美国石油产量从1970年开始稳步下降，在过去10年下降了21%。开采技术的改进可以把页岩气大规模发掘出来。新技术的潜力促使美国很多企业去投资更多页岩天然气产区。美国本土的页岩层目前探明有多达842万亿立方英尺的天然气可以轻易获得，按照目前美国的能源消耗水平，可以轻松供应40年的天然气消耗。巴克莱银行天然气分析师迈克尔·曾科尔认为："显然，天然气产量正在增加，而且将会持续增长。"德意志银行分析师山诺恩·诺姆最近的一份报告指出，美国8个最大的页岩气产区的产量，有望达到每天66亿立方英尺，占全美产量的11.8%，在2011年产量将增长到每天145亿立方英尺，几乎是美国国内产量的1/4。

美国这个世界上最大的能源进口国，有关天然气的数据数十年来影响着它的经济和外交政策。不过，它是否即将成为天然气的主要出口国呢？总部设在休斯敦的一家公司朝着这个方向迈出了尝试性的一小步，它说正在就从路易斯安那州向中国最大的独立天然气公司之一供应液化天然气的交易进行协商。但阻碍依然存在，出口方Cheniere能源公司的子公司仍需获得政府许可方能向中国输出天然气。

天然气欧佩克这个美国过去极力反对的体系，为什么现在成了美国非常喜欢的体系呢？未来全球天然气价格的上升，将在化学、化肥和炼铝这些天然气密集型产业上迅速提升美国的全球竞争力。

世界游戏开始诞生新的规则。随着原油价格受到各国不断增长的需求的拉动——中国刚刚刷新了其原油进口纪录——原油既是经济活力的晴雨表，也成了一道障碍。2007年，非洲经合组织国家的能源消耗首次超过传统发达国家，大部分预期中的需求增长也将来自这些国家。美国能源情报署表示，到2030年，这些国家的能源消耗量将比经合组织国家高出近2/3。由于这些国家每桶油的产出低于发达国家，所以目前依靠新兴国家推动全球经济增长的模式存在严重的不可持续性，因为新兴国家短期的通货膨胀预期上升，会很容易导致世界经济陷入危机模式。

从奥斯特里茨战役看美元涨跌

是否投资美元、美股、美国地产？简单的判断依据是你认为美国未来是衰败还是强盛？无论投资什么都要看它的未来，投资就是投资预期。渗透中国一切领域的跨国公司紧握着定价权，而跨国公司大多数在美国，只要用跨国公司的定价权这一项调控手段，也许就能让中国经济顾此失彼了。

无须悲哀的是美元时代的到来。从宏观上看问题应该建立在爱因斯坦相对论的跳跃式广阔空间中。金融宏观思维是大结构思维体系，需要一种巨大的跳跃和战略欺骗对手的力量。就像毛泽东四渡赤水的经典之笔，他用一种巨大的跳跃和战略欺骗对手的力量，不仅从战略上消灭了对手，也从意志上毁灭了对手。

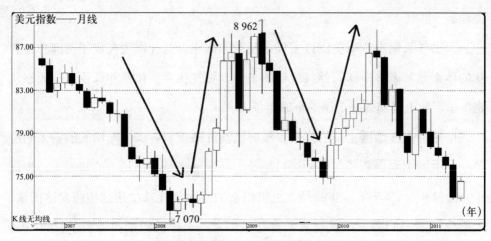

图12　2008~2011年美元指数月线图

2008年3月开始到2010年底的美元走势，从战略上完全复制了毛泽东四渡赤水的战略。

美国会主导美元长期贬值吗？首先，美元长期贬值要有利于美国政府、美国国民或美国企业。

自2008年美国爆发次贷危机以来，美国政府大量发行短期国债，而不是大量发行长期国债。为此，许多美国媒体批评美国财政部，应该大量发行长期国债，这样可以节约美国国债发行成本。现在，美国国债到期支付的平均期限只有4年半周期。在经济常识中，对于4年半周期的到期支付，如果美元贬值，那损失最大的是美国政府。也就是说，美国国债到期支付的周期在10年左右，美国政府才会在美元贬值中有利可图。这是多么简单的常识。现在的问题是，美国财政部为什么不按照美国媒体的思维，大量发行美国长期国债以节约国债发行成本呢？而如果美元进入上涨周期，美国财政部现在就应该大量发行短期美国国债。

自2008年美国爆发次贷危机以来，美国国民开始大量增加储蓄。目前，美国的储蓄率上升到6.5%，与1985年9.6%的高位虽然还有距离，但不可否认这个储蓄率是美国近 10 年的最好状况。美国中央银行会不会让美元再长期贬值，去摧毁这两年美国国民辛辛苦苦建立的储蓄呢？

美元贬值或许理论上可以支持美国企业的出口，可事实上，美国是对外贸易依存度最低的经济体。美国对外贸易依存度只有 10%，而中国高达 70%。所以，去除能源品进口，美国的贸易赤字只占美国经济规模 2% 不到。更重要的是，美国大型企业目前手中储备了高达近 2 万亿美元现金。这样，我们知道美元贬值实际是不利于美国企业的。

2010 年 11 月 4 日，美国联邦公开市场委员会宣布，启动第二轮量化宽松货币政策，总计将采购 6 000 亿美元的国债。与此同时，美联储宣布维持 0~0.25% 的基准利率区间不变。美元指数开始从 2010 年 11 月 4 日近 76 的低位连续几个交易日迅速上涨。为什么大家从中国媒体和经济学家那里听到的都是美国的第二轮量化宽松货币政策会导致美元大幅贬值，而真实的金融世界却出现美元开始上涨呢？美联储的第二轮量化宽松货币政策中 6 000 亿美元的国债计划购买额只有 4% 分配给了将于未来 17~30 年到期的美国长期国债。伯南克通过第二轮量化宽松货币政策在国债曲线中部的强大购买力（对期限从 2.5~10 年的证券），达到推升全球的通货膨胀预期。因此，美国债券市场是短期债券的价格上涨而长期债券价格下跌，使得美国长期债券收益率大幅上升。美国长期债券收益率大幅上升，迅速吸引了大量全球资金。自 2010 年 8 月末，美国 30 年期国债迅速上升了 70 个基点，其中 30 个基点是伯南克第二轮量化宽松货币政策公布后的两天里上升的，而美国 30 年期国债收益率攀升至 4.335%，为 2011 年 5 月 18 日以来最高水平。同时，美联储此次第二轮量化宽松货币政策行动的实际结果，就是使美国债券收益率曲线陡峭，这样美国银行业将是最大的套利受益者。现在的问题是，如果全球通货膨胀预期开始出现，那美国长期债券收益率必定加速大幅上升，这样全球资金必定增加，大幅回流美元资产。所以，现实金融世界的演变是不同意中国媒体与经济学家的捕风捉影的。

进入 2010 年 11 月，美国政府频繁大幅下调主要农作物产量预期，并警告主要谷物将出现短缺。美国农业部连续 3 个月下调了美国玉米产量预期，并预计出口至中国的大豆数量将创历史纪录，此外它还警告，棉花库存将降至 1925 年以来的最低水平。美国农业部在另一份谷物报告中表示："产量不足再加上巨大的潜在库存消耗，导致供应状况较几个月前要紧张得多。"基准芝加哥玉米期货价格飙升至每蒲式耳 6 美元以上，这是 2008 年 8 月以来的头一次，大豆期货价格则上涨了 5.6%。而纽约棉花期货价格涨至每磅 1.50 美元上方，创下历史新高。美国农业部的一道道金牌"令人震惊"。农作物价格上扬将使农民受益。新产季美国农民种植玉米的利润将创历史纪录，种植棉花的利润将创 1861~1865 年美国内战以来的最高水平。贸易商来宝集团是中国领先的油籽加工商之一。该集团首席执行官里卡多·雷曼称中国存在"巨大的需求"，因为"中国的经济发展更为强劲，饮食习惯更侧重主食，饲料加工利润很高，国内粮价非常坚挺"。中国大幅增长的需求尤其体现在棉花方面。美国农业部罕见地调降了中国 2010 年供应缓冲的预期，称"近几周来棉纺厂库存已明显出现短缺"。由于"供应不足以满足需求"，美国农业部还调降了棉花需求预期。

历史告诉我们，许多宏大的战争和激烈的社会演变都有其背后的原因。过去许多战略家改变了那个时代的短期命运，但是最终无法改变那个时代的长期命运。

法国大革命开创了人类本性追求自由、平等和公正的时代。当时，杰出的战略家拿破仑先生把法国大革命的思想传播到了世界各地虔诚的人的内心。那场欧洲土地上通过大炮加来复枪进行的共和党人和君主派之间的拼杀，创造了许多经典的战役，从中对我们构架自己的大脑空间有重要的意义。我们正进入大脑空间的时代，我们迫切需要了解过去许多伟大人物的思维体系，来开拓我们的大脑空间。

　　奥斯特里茨战役史称"三皇大会战"。奥斯特里茨战役（1805 年 12 月 2 日）以拿破仑指挥的法国军队的辉煌胜利载入历史。73 000 人的法国军队在拿破仑的指挥下，在奥斯特里茨村（位于今捷克境内）取得了对近 10 万俄国－奥地利联军的决定性胜利。法国军队仅死亡近 1 500 人，伤 6 940 人。君主派军队死亡 15 000 人，12 000 人被俘，其中包括 270 名下级军官、10 名校官、8 名将军，法国军队还缴获了 50 面战旗和 180 门大炮。现在的法国凯旋门就是拿破仑下令为纪念法军在奥斯特里茨战役中战胜俄奥联军，于 1806 年开始修建的。

　　战役初期，拿破仑非常担心俄军撤走和拖延战争，担心普鲁士军队最终会加入战争。他迫切希望赶快进行决战，更重要的是，拿破仑坚信敌人会按照其希望去部署军队。为诱使敌人与他决战，拿破仑命令前哨部队开始撤退，又遣使谒见沙皇亚历山大一世，要求停战 24 小时，举行双边最高统帅谈判。

　　沙皇亚历山大一世和奥皇弗兰茨认定拿破仑已成强弩之末，势必要往维也纳方向退却，为求速战速决，采纳了联军参谋长奥地利将军魏罗特尔提出的作战方案，即分出部分兵力牵制法军左翼，以主力进入利塔瓦河谷，向法军薄弱的右翼迁回，并切断法军退往维也纳的通路。联军司令库图佐夫强烈反对这个方案，认为应等普鲁士参战后再进行决战，但沙皇不予理睬。

　　拿破仑将全军沿一条叫做戈尔德巴赫河的沼泽小河的右岸向东展开，其左翼是拉纳的第五军和贝尔纳多特的第一军，后面以缪拉的骑兵军作预备队；右翼是苏尔特的第四军，后面以达武的第三军作预备队。12 月 1 日，俄奥联军到达战场，迅速占领了拿破仑主动放弃的普拉岑高地，并作好了全面进攻的准备。这时，俄奥联军正确地配置了军队，但糟糕的是俄奥联军里只有库图佐夫一个人理解普拉岑高地的决定性意义。

　　拿破仑发现敌军全部集中在普拉岑高地和利塔瓦河谷地中，这更加坚定了他认为敌人将尝试迁回其右翼的预测。这场战役其实非常简单，如果俄奥联军不被右翼法国军队的疲弱吸引，而重兵坚守普拉岑高地，尝试中路突破法国军队，使法国军队被分割，俄奥联军完全有实力打赢奥斯特里茨战役。

结果俄奥联军被对阵右翼军队的胜利吸引，包括俄国最杰出的战略家库图佐夫都开始为右翼的胜利高兴时，俄奥联军在普拉岑高地的重兵离开高地，去向被打开的法国军队右翼扩大战果。拿破仑迅速指挥重兵占领了普拉岑高地。俄奥联军被拿破仑彻底分割。接下来，俄奥联军只能为求生而战。奥斯特里茨战役中拿破仑用法国军队疲弱的右翼，改变了俄奥联军的整体配置。开战前只有拿破仑和库图佐夫两个人深知普拉岑高地的重要意义，所以可以说拿破仑获得奥斯特里茨战役的胜利是以库图佐夫的动摇为基础的。如果库图佐夫不动摇，拿破仑可能将是奥斯特里茨战役的失败者。

如果你能够深刻理解奥斯特里茨战役的思维构架，那你必定会坚信美元将暴涨，并且你不会为市场的波动而动摇。

拿破仑获得奥斯特里茨战役胜利的决定性因素在于最后俄奥联军中没有一个人明白普拉岑高地的价值。而美元暴涨的决定性因素是所有中国人几乎都坚信美元会长期贬值。

对美元的错误预期将重创中国经济

2010 年 4 月，中国楼市紧缩政策的出台和人民币升值预期的上升，促使中国房地产企业加快了海外融资的步伐。调控新政出台当月，便有 7 家中国房地产企业进行了超过百亿港元的海外融资。而随着调控进一步深入，中国 A 股上市房地产企业千亿融资计划搁浅，房地产企业内地资金通道基本关闭。于是，中国房地产企业大量借助发债、票据融资、基金、信托计划等方式，频频进行海外融资。

由于人民币升值预期强烈，中国房地产企业完全寄希望于海外融资的高息成本能得以稀释。

2010 年 9 月 28 日，央企地产商方兴地产发布公告，公司拟发行 5 亿美元于 2015 年到期的长期次级可换股证券，发行的可换股证券本金总额最多为 6 亿美元，预计净收益 5.91 亿美元，这是方兴地产 2010 年以来的第一次融资。

中国指数研究院 9 月 27 日发布的报告指出，房地产企业获取贷款难度加大，再融资全面收紧，房地产企业开始加速多元化融资途径，其中发行海外债券、票据及信托、基金等融资方式被广泛应用。据商务部统计，2010 年 1~7 月，利用外资进行房地产开发及城镇固定资产开发的投资累计总额为 302 亿元，同比上涨近 11%。2009 年 5 月以来，房地产开发资金来源中的外资资金同比增幅一直是负数，而从 2010 年 6 月起，外资资金的同比增幅开始转正，并迅速增长。仅 6 月一个月利用外资的资金额就达 80.91 亿元，超过了 4 月和 5 月的总和。一些在中国香港上市的开发商通过发债筹集到了大量资金。统计显示，龙湖地产、远洋地产等相继推出海外融资计划，均以数十亿港元计。4 月，恒大地产、碧桂园等 7 家房企宣布在中国香港发行优先票据。

另外一些未在中国香港上市的地产公司，则通过股权基金的形式吸引外资，如金地集团 2010 年 4 月与瑞银环球资产管理集团合作发起房地产基金，首期募集签约金额约 1 亿美元。2010 年以来，包括摩根士丹利、高盛、麦格理、瑞银、美林、华平投资、软银亚洲、凯雷投资、凯德置地等众多外资，均以不同形式对中国房地产追加投资。据不完全统计，2010 年以来，中国房地产企业海外融资超过 900 亿港元，远超过去 3 年的平均水平。数据显示，2007、2008 和 2009 年，上市房地产企业在二级市场再融资金额分别为 439.03 亿元、743.39 亿元和 615.2 亿元（如图 13）。

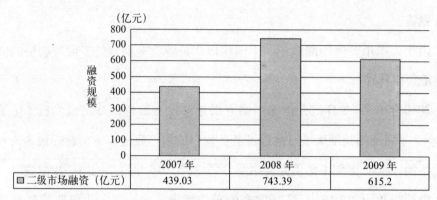

图13　二级市场融资

中国房地产企业海外融资代价十分高昂。从发债的利率看，2010 年中国房地产企业发债利率区间已从 8%~9% 上升至 13%~14%。2010 年 4 月 14 日，恒大地产发行 6 亿美元优先票据，利率 13%，达当时最高；4 月 22 日佳兆业创造了 13.5% 的息率纪录；5 月 5 日，在中国香港上市的内地房地产企业海外融资纪录再次被打破，花样年集团宣布发行本金总额为 1.2 亿美元的担保优先票据，2015 年 5 月到期，票面利率高达 14%（如图 14）。

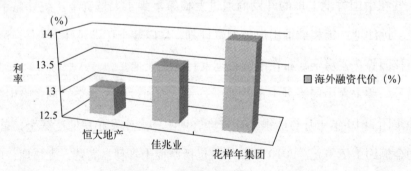

图14　海外融资代价

发行高息债券筹得的资金，高额的利息支付比率不但大大地吞噬了企业的利润，更加大了债务的成本和风险。13%~14% 的融资利率当时还算是偏高的，但在当前内地普遍收紧房地产企业融资的情势下，现在的地产业融资成本已经达到和超过了这种水平。在房地产信托市场和民间借贷市场，地产融资利率已分别高达约 18% 和 25%。然而，大部分中国房地产企业似乎不认同高息举债的说法。

海外融资成本实际并不高，因为海外融的是美元，目前中国人民币升值的预期很大，虽然有些海外融资的利率超过 10%，甚至达到 14%，但如果人民币每年能升值 1% 或百分之一点几，5 年期债对冲掉人民币升值的部分后，成本和国内融资的成本基本持平。国内融资的钱不能用来买地，只能用做项目建设，但海外融资的用途不受限制，范围很广，尤其是已在境外上市的房地产企业，资金渠道较多，不会受到太大影响。

短期而言，内地的房地产市场仍充斥着不明朗因素，高息举债蕴藏着巨大的风险；且在优先票据的协议中，大多数条件对举债者来说都比较苛刻。因此，让利回款，才能熨平高息举债带来的高风险。不幸的是，1996 年东盟地区的泰国、马来西亚和印尼的房地产商，也都对本国货币必会大幅升值持坚定的态度。同样，泰国、马来西亚和印尼的房地产商也都大规模向海外拆借高息美元。1997 年，东盟地区货币开始出现兑美元贬值，东盟地区房地产商开始全部同步进行一种操作——拼命抛出手中房产来获得东盟地区货币，然后再迅速用东盟地区货币去抢购美元货币。1997 年东盟地区的楼市一年之间崩盘 70% 以上；1997 年东盟地区的货币，最差的一年之间兑美元贬值 1 000%。2010 年中国房地产商的执著和 1996 年东盟地区房地产商的想当然，本质上有区别吗？

实际上，2010 年在中国内地，境外的金融机构揽客力度开始明显加强，这是他们一种规避汇率风险的方式。一些制造业企业所谓的汇率规避方式是做外汇期货套期保值，然而企业只是企业资金的监管者，真正的操盘手另有其人。这是这个时期投资的被迫选择，一旦汇率相对稳定，他们表示绝不会做这样的投资，不仅因为投资的风险，也因为会给企业带来法律风险。在长江三角洲一带的制造业企业，每年来自欧美国家的订单总额在亿美元以上。从下订单到交货，期限基本在 3 个月左右。2010 年 6 月，企业资金开始陆续进入外汇期货市场，做套期保值。

因为美元贬值的势头开始显现，非美货币大面积上扬，而外贸企业该如何应对外汇市场复杂的形势，也是不小的难题。企业的产品出口区域多集中在欧美，由于欧洲债务危机阴云不散，市场对欧元仍旧疑虑重重，而人民币又有一波升值强势启动。的确，汇率的波动已经严重地影响了企业的出口，利润至此已经被压榨了约 2%。一些企业的产品，往往牵涉到订单国家或者区域的专利问题，各种费用已经将利润压榨得非常微薄了，如果再不采取一些方法，境外订单业务将全面陷入做一单亏一单的状态。这些中小企业老板祈祷着企业能运营下去，熬过眼下这个严冬。

中小企业在汇率市场起起伏伏，尤其是 2010 年 10 月 10 日那个下午，美元兑人民币的即期汇价忽然较快上涨至 6.691 2。当时这个汇率使他们 1 个月前接的订单成了亏本的买卖。

2010 年 4 月，中国外汇市场中的主要远期成交品种——外汇掉期成交量创出 535 亿美元的历史新高，环比大涨 26.5%。而当月中国外贸出口连续第六个月同比下滑，表明金融机构、经济实体的各类外汇避险、对冲等交易的高发。

由于长期以来对美元的错误预期，导致了：

• 2010 年是中国房地产商大规模高息拆借美元的一年；

• 2010 年中国国企利润"最好表现"的背后，潜伏着大量拆借美元的因素；

• 2010 年人民币 3% 的升值，极大地降低了中国房地产商和中国国企的财务成本；

• 2010 年同样是中国央行大规模降低美元配置的"多元化官方储备年"。

现在的问题是，中国房地产商、国企和央行的头寸是共同的"单一头寸"，"单一头寸"在金融市场上就是互相搏杀的头寸。比如，如果美元上涨，中国房地产商和国企就会开始抢购美元，中国房地产商和国企抢购美元就会引发中国央行的多元化官方储备出现亏损，这样，央行就会大幅加息来吸引美元，但是大幅加息就会引发中国房地产商和国企更进一步亏损，房地产商和国企就会更疯狂抢购美元，而央行的多元化官方储备就会更进一步出现亏损，所以，央行就会更进一步大幅加息。1997年，东盟地区就在这种房地产商和中央银行的互相搏杀的循环中遭受重创。那么，现在美国华尔街是怎么看中国房地产商、国企和央行的共同"单一头寸"的呢？

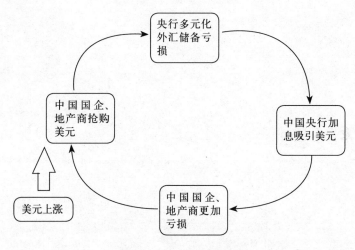

图 15   单一头寸的死局

苏联1989年的解体与日本经济在1989年开始的大衰退，启动了20世纪90年代美国经济包括美元最辉煌历程的重要的结构性力量。现在，中国房地产商、国企和央行，也将是启动即将来临的美国经济包括美元辉煌的重要结构性力量。

第八章

微小中见壮观的交易信号

对交易信号的思考模式

当今全球化的世界中，世界一半的财富掌握在全球不到 2% 的人手里，全球 30 亿人只占有全球财富的 1%，全球 90% 的财富集中在北美、欧洲和日本、澳大利亚等少数国家。参与到全球化这场游戏中就要作好准备，要有全球化的大脑；参与到全球化中必须知己知彼，全面地看懂世界的每个微小的变化，因为合抱之木，生于毫末。发展中国家参与全球化就如同自己备受保护的孩子独自走上社会。立体空间以时间概念考量身边的变化。

如果放眼未来，从中长期跨度看问题，一定要深刻地了解市场，了解市场的原始结构性构成框架，以及原始结构性框架在发展中不断变化的新的合力因素，这是必须的功课和切入点。如果不以中长期和未来发展的眼光分析和看待问题，可能或者必然会产生昙花一现的结果。

　　要消灭或奴役一个经济体需要一个长期的布局，局部的灾害（如非典、地震、干旱、水灾）都不能给一个经济体带来致命打击，唯有在总体的构架构成的内核里埋下一个又一个的毁灭因子，才能使之形成一种南辕北辙式的走得越快、死得越快的结局。中石油在中国经济发展中扮演着这样的角色：国际油价一跌就抛出库存，国际油价一上涨就立刻高位买回。如果以这种小商小贩的操作理念来统领一个制造业大国，这对中国经济的发展是非常危险的。

　　我们也必须了解在全球化中非常识性的反常规的操作理念。参与金融市场，理论首先要过关。我阅读美联储主席伯南克先生撰写的《大萧条》这本书已经不下50遍，以至于每读一句下面一段就会自动出现在脑海里。但是，即使读过了50遍，再次阅读又会有新的体会。伯南克这位现任的美联储主席，在他的书中必定隐藏着他的思维模式、货币政策以及执政方针。精读伯南克撰写的《大萧条》是我们了解对手思想意图的重要途径之一。

　　参与全球化，我们必须要具备灵敏的嗅觉，嗅到众多信号的含义——市场必定散发出众多的信号，给我们留下判断的依据，考验我们是否具有全球化的目光。

　　我们必须摒弃阴谋论的羁绊，这利于我们拥有正确的心胸，打开宽阔的视野，因为交易市场在已成定局的大趋势面前不可能再有有效的抗拒力，因为这一切的形成必定存在自身的规律和定式的长期运作发展。即使在一方势力一手遮天的时候，自身起源中自带的某种破坏力也在壮大，这对处在弱势的一方就是星星之火，这种"火星正是未来可以悄然燎原的自身存在的起源"。毛泽东找到了那小小的"火星"，"燎原"的力量举世瞩目。

　　科学家们发现人和老鼠的基因在基因内容和DNA序列方面非常相近。人和老鼠的DNA有95%以上是相同的，从基因角度很难判断是人还是鼠。人的基因99.9%相同，但人的能力状态却千差万别，每个个体的差异就建立在这0.1%之上。而控制世界的能量也就在于这 0.1% 的不同。所以宏大现象背后"微小"的本质才是你需要真正认识的。人和老鼠的区别就在于那不到 5% 的基因差异。

这个世界只有少部分人的视野具备超前性，这少部分人就控制了未来发展的力量，把握了未来的趋势。

我曾撰文指出过一个简单的事实：当时美国财政出现巨大的盈余，美国财政盈余推高了美元指数。美元价格在那时已经威胁到了美国的制造业，所以，美元正处在结构性高估状态。在随后 10 年当中，美国的制造业大规模转移到海外，甚至在 2008 年美国本土的汽车工业也几乎彻底破产了。但是，就在美元结构性高估的这段时间里，美元走势图可以让我们看到，美元指数在 2000 年 10 月到 2002 年 10 月的宏大三重顶的建立过程，耗时近 1 年半。

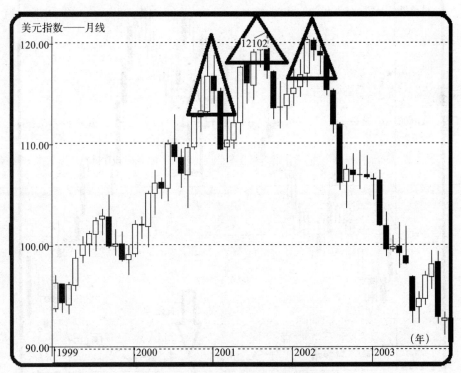

图 16　1999~2003 美元指数月线图

　　美元的这个三重顶证明了一件事，有一个人预见了美国制造业大规模转移到海外的过程中，美国财政赤字的结构性上升，在这里布局了大量的空头头寸。同时在2000年10月到2002年10月这段时间，全球很多人依然是坚定的美元多头。当时美国媒体释放的信号是10年后，美国有10万亿美元财政盈余。这时，我们可以反过来对应看同时期的黄金市场。当时的黄金价格是每盎司250美元。英国央行2001年以每盎司267.25美元的价格抛售20吨黄金，把黄金走势砸出来一个大的底部（如图17）。也就是说，整个市场释放的信号告诉了我们黄金市场底部建立的一个过程，当时美元指数高位的时候，实际上全球市场已经有人在为未来布局了。

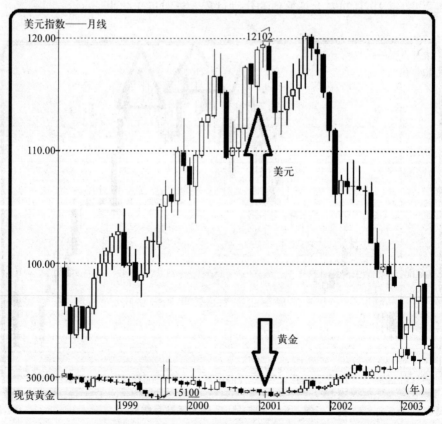

图17　1999~2003年现货黄金美元指数月线

同样，在 2009 年 11 月，美元指数见到了 74.18 的低点，这时的黄金创出了每盎司 1 200 美元的新高，而后，美元指数在 2010 年 11 月底部微微抬高到 75.63，这个时候黄金又创出了每盎司 1 430 美元的新高。

这段时间黄金多头的获利为 18%，但是同期天然胶多头获利近 100%，棉花多头获利同样超 100%，大豆多头获利 30%，铜多头获利近 30%（如图 18）。

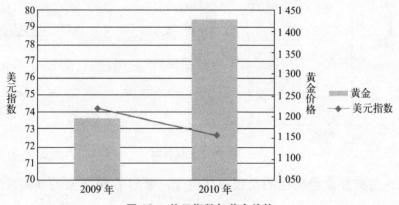

图 18　美元指数与黄金价格

可以确定的是，金融市场在结构性操作时，肯定有一个大资金在其中排兵布阵。

现在，全球的外汇交易量比 2007 年世界高通货膨胀时高出 20% 以上，黄金市场合约要高出 40% 以上。请注意，一张合约必定由一个多头与一个空头配合才可能产生，也就是黄金市场在中国人大量涌入购买的同时，也有一个个力量在不停地抛出空头黄金合约，其中最重要的玄机是黄金空头合约达到了史无前例的规模。可以说，2007 年是全球资金最膨胀的通货膨胀时期。今天，如此巨大且更加膨胀的全球交易市场中，为什么黄金实际表现却最落后呢？大规模资金对赌中，黄金为什么没有成为最好的看空美元的品种？谁会在如此巨大的商品上升环境中，主动大规模建立黄金空头头寸呢？这是大家要注意的一点，分析任何东西的时候，首先我们要从结构中得到答案，从结构中去验证答案，必须经过双重论证逻辑推理，其他都是次要的。不可以单纯通过图形得出结论，而不分析结构性结果，这样做是片面和危险的。

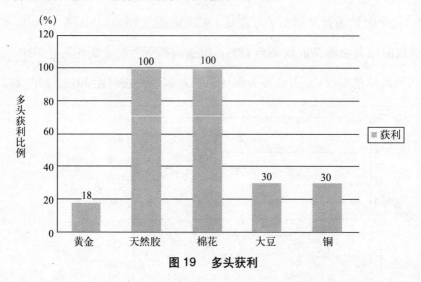

图19 多头获利

现在美国非金融机构的负债包括现金，都创了50年来的新高，大概有2万亿~3万亿美元在手里。比如说我们当中有一位朋友现在拥有1亿美元的现金，他又向银行借了1亿美元，相信他肯定要做一件大的事情。资本主义绝对不是为拯救我们而存在的，它最终是要获利的，这是资本主义的生存原则，要参与市场交易就永远不要违背资本主义的核心原则。在完成交易的过程中，收购原则总是要想尽一切办法把价格往下砸，然后再来收购，这是一个你死我活的游戏的基本规则。

美国银行业手里面有1万亿的超级储备金，美国金融世界包括美国的非金融银行的金融银行体系拥有3万亿~4万亿现金，全球流动性依然处于过剩中，这是伯南克量化货币政策的结果。但是，这样就会出现一个非常重要的逻辑问题：美国不可能长时间推行量化宽松货币政策，而全球流动性过剩又是美国的核心利益。所以，在伯南克不再推行量化宽松货币政策的时候，必须有一个中央银行大规模释放货币。未来，在伯南克不推行量化宽松货币政策时，迅速向市场释放货币的"中央银行"是谁呢？它就是黄金。所以，美国华尔街必须大规模地把黄金市场容量做大，过去 10 年以来黄金市场的市值到现在已上升 500%，达到 6 万亿美元了，黄金期货、纸黄金业务、黄金股票、黄金出产国家的信用违约掉期合约等一切与黄金有关的金融衍生品，合计资金至少已经高达 10 万亿美元。这样，我们会看到在伯南克调整政策使美国长期债券收益率上升的时刻，黄金价格必定会崩盘，大量逃离黄金市场的货币就成为了一个大规模释放货币的"中央银行"。现在又有个常识问题是——为什么黄金价格到了每盎司 1 000 美元以上，中国人才开始疯狂大规模购入黄金呢？所以，未来伯南克让美国长期债券收益率上升的过程中，中国央行必定疯狂紧缩中国的货币，想象一下，买黄金的中国人破产，买中国楼市的中国人破产，中国资产全面大崩盘，这样，美国的几万亿美元现金就当仁不让地成为世界的主宰。

美国经济结构具有这样的一种模式，在 2001 年出现的一个大衰退过程中，在它复苏 18 个月之后，就业市场才开始回升；现在，美国在 2008 年这场大衰退中的复苏表现是不错的，美国经济在见底之后 6 个月回升。我们可以看到克林顿时代，即使美国股市在暴涨中，就业市场的隐性失业率也是非常高的。1922~1929 年是美国的财富时代，当时隐性失业率也同样非常高，因为美国是技术性经济结构。对于这个从衰退到复苏的过程来讲，我们要理解美国现在失业率高并不是一桩坏事。我们要看到美国手里获得的现金体系。还有一个政策是我们不可忽略的，2010 年 12 月 31 日小布什时期实行的减税计划被奥巴马延期两年。美国是一个技术富翁社会，巴菲特表达得非常清楚，他缴纳的税收比他的秘书都要低。美国 20% 的技术富翁贡献 40%~60% 的所得税。美国财政收入 60% 来自个人所得税。相对于我们来讲，在过去 10 年中，美国技术富翁的税率实在太低了。现在，美国整体税负只占经济规模的 20%，美国政府的支出要占到经济规模的 25%。而德国和英国整体税负占 35%。因此可以得出结论，美国的经济弹性在全球是一流的。我们公正地去看待 2008 年这次全球衰退之后的复苏情况，美国经济现在复苏超过了 80%，欧洲只有 60%，日本只有 40%。

我们来看看 2010 年 9 月美元指数的破位情况。先看人民币外汇市场，9 月 6 日开始出现一根大阴线，也就是说，中国央行在 2010 年 9 月 6 日，给市场投机者提供了巨大的炒作空间。我们再看农产品市场的美国黄豆连，它在 9 月 3 日 1 000 美分左右有一个大突破（如图 20）。

同时，中国大连的期货豆粕和玉米的持仓开始创出绝对的巨量。我们看到中国的豆粕和猪肉价格是挂钩的。2007 年猪肉带动中国食品价格全面上涨，我们现在再次回顾 2007 年 9 月份的外盘大豆，注意本书这里跨度比较大，2007 年 8~9 月，如果你单看中国如日中天的上证指数，是不会看出有任何危险已经出现的。2007 年 9 月，伯南克开始降息，中国豆粕价格开始突破性上升。这是 2007 年 9 月一个非常明确的信号，如果你继续在中国股市停留，就会是血本无归的结局。

> 需要通过很多角度的数据去分析市场，这是你通过单一的数据怎么也得不到的信号。

在这个互联网发达的时代，我们在投资的时候是非常幸福的。为什么？有很多数据可以去分析和观察，再次提醒做研究思想跨度一定要大、视野一定要宽，在这样的胸怀下可以获得对大量信息的正确认知。否则只看一个单一品种，是不能看透投资信号的真实结论的，所以，需要通过很多角度的数据去分析市场，这是你通过单一的数据怎么也得不到的信号。

我们需要了解总体的规律。2010 年 10 月 10 日，我在北京讲课时讲到，只要中国大连期货市场豆粕价格突破到每吨 3 600 元一带，大家就可以以此作为判断，这个市场灾难来了，大萧条来了。市场为什么会出现大萧条呢？美国人手里现在有 3 万亿美元的现金，我们知道美国人并不比我们聪明，他们的决策

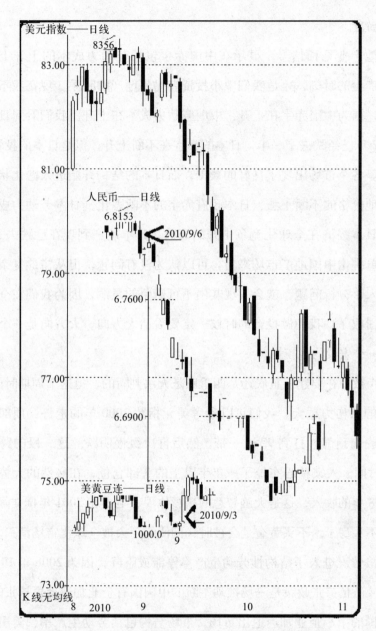

图 20　2010 年 9 月美元、人民币、美黄豆关系走势图

只是建立在对结构的提前预判基础上。事实是，2010 年 11 月 10 日，中国大连
期货市场豆粕价格冲击到每吨 3 588 元，2010 年 11 月 12 日中国股市和期货市

场开始大崩盘。

中国地产业见顶信号，显示在中国赤字包括劳动力成本的上升上，只有这个信号产生的时刻，才是我们中小投资者抛售地产的时候。现在我不看好中国地产业，因为中国赤字在上升、中国劳动力成本在上升。我们看到日本股市1989~1992 年已经跌去了一半，日本的赤字在不断上升，但是日本的投资市场、就业市场等各个市场出现了良好的数据，而日本的结构开始进入恶化状态。随着日本土地价格的不断上涨、日本政府赤字的不断恶化、日本劳动力成本的不断上升，日本经济在全球化竞争中开始衰败，日本地产到现在已跌去了 70%。如果我们单挑出中国地产市场来看，可以认为没有问题，但从错综复杂的整体经济结构入手分析问题，就会发现其中不可避免的黑洞，因为我们在全球化竞争中开始溃败了。我们做投资的时候一定要看清大方向，大方向是一个大的周期，具有一个宏大的规模性。

美元指数现在要建三重底还是四重底是无法判断的，但这个周期时间越长，实际造成的杀伤力越大。我们可以参考美元指数 2000 年的走势：顶部完成之后，迅速脱离顶部，打到 92 这一带，然后再次缓慢阴跌。这一段的跨度会用7~8 年的时间。人家精心布控了一年半以上的头部仓位，在必然的大势中稳定赚取了 7~8 年的收入，这是大脑智慧的精彩体现。笔者在 2001 年撰文阐述得非常清楚，不买房子、不买黄金是会被时代淘汰的，会被全球化市场消灭。现在，中国的经济情况进入了结构性劳动生产率停滞或下降，因为 2008 年 10 月份中国政府的 4 万亿扩张政策是一场推动垄断的中国国有企业加速度再扩张的革命，将迫使中国的中小企业加速退出市场。市场结构包括劳动生产率、美国的长期债券收益率、各国的老龄化问题以及各国的政府扩张或消减，很重要的是，它们会基本同步、同时反映在期货市场、股票市场、外汇市场、债券市场，只有这四个市场所有的信号比较一致且逻辑全部互相印证了，你才可以得出真实的答案。

1995 年美国让日圆升值到 79 的时候，东盟地区的人天天感觉良好，疯狂造房子和买房子。同样，2010 年日圆在 80 的时候，2010 年 1~11 月，中国商品房销售额为 4.23 万亿元，同比增长 17.48%，接近上一年全年 4.4 万亿元的销售水平。当时我根据历史数据并结合目前销售形势推算，2010 年中国商品房销售额有望突破 5 万亿元，可能达 5.3 万亿元，继 2009 年后再次创下历史新高。此外，2010 年 1~11 月，中国房地产实际完成投资额、购置土地面积、完成开发土地面积、商品房施工面积、房地产新开工面积等数据均已超过 2009 年全年水平。2010 年前 11 个月，除基数原因导致 11 月出现异常值外，其他各月房地产新开工面积同比增幅均在 40%以上。2010 年 4 月底出台新一轮调控政策后，5 月全国新开工面积同比增幅达 102.56%，6 月新开工面积达 1.9 亿平方米，为近 10 年来单月新开工面积最高值。值得注意的是，从 2010 年 3 月起，中国房地产市场新开工面积同比增幅远高于商品房销售面积同比增幅。1~11 月，房地产新开工面积同比增长 48.71%，而商品房销售面积仅同比增长 9.76%，相差 38.95 个百分点。从 10 万亿美元的游戏规则去看，今天中国和 1995 年的东盟几乎没有区别。

中国央行在 2010 年 9 月犯了致命的错误，就是继续让人民币大幅升值。现在中国劳动力成本的上升无法在制造业转型中迅速消化，同时，其他新兴国家的生产模式却开始形成市场规模。西方的技术转化开始大规模渗透出真正的全球化，这是人类历史中无法想象的一幕。工业制造品体系出现了巨大的全球配置能力，这个过程中工业制造品的成本随着劳动生产率的迅速上升，其价格出现结构性长期下降趋势。同时，新兴国家的劳动力成本最终也形成结构性长期上升趋势。全球工业制造品价格随着西方技术史无前例地大规模转化，结构性长期下降趋势变相压低了新兴工业化国家的非核心通货膨胀率。这样，新兴工业化国家的中央银行很容易耗尽反通货膨胀的有效手段。现在我们看一下2006~2008年中国郑州期货市场棉花的月线，棉花的价值被严重低估了。

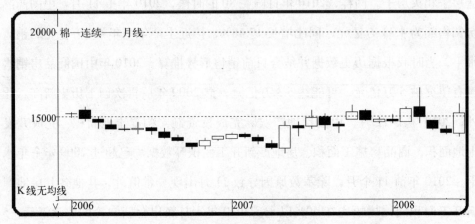

图21　棉花被严重低估

现在谁还会去新疆摘棉花？在上海一位钟点工的基本月收入在3 000元左右，甚至更高。到新疆去摘棉花每月可以赚4 000元，在收入基本相当的情况下，谁还会不远万里去新疆采棉？同时，俄罗斯、巴西、印度的成本和需求都出现加速上升现象，这就是全球劳动成本的一个大规模传输和辐射过程。中国棉花从每吨1.5万人民币拉抬到每吨3.3万人民币，升幅如此之高、之快，只用了不到1年的时间（如图22）。

棉花价格提升如此之快的原因是农产品的劳动生产率是全球化中唯一无法大规模工业化复制的，而更重要的因素是，新兴国家在参与全球化的初期阶段，总是会人为压低工资上升过程。所以，新兴国家的中央银行因人为压低工资的结果，而长期变相压低了新兴工业化国家的核心通货膨胀率。在此过程中，美联储、中国央行的最终困境是什么？这本身是有趣的事儿。美联储、中国央行也是市场中的被动者，它们会为2~3年的目标奋斗，尤其是中国央行，它不是长期趋势观察者，它和中国股民一样只是市场短期参与者。

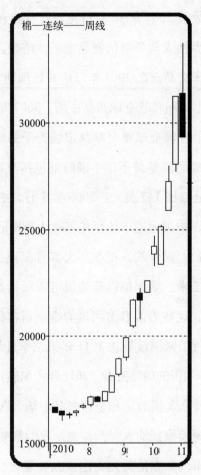

图 22　棉花价值回归的速度

现在我们分析石油的价格。在这个市场运作的时候要保证对信息的搜集，信息的收集是一项非常有意义的工作，我们可以借此积累经验。所有的人都处于一个平台上，当然也包括中央银行。在这里比赛的是，谁能关注到一些关键信息、一些交易体系信号点。用金融语言进行思想的交流，必须要有这样一个信息的框架。

2007 年 9 月美联储降息，当时石油价格是每桶 83 美元。在 2007 年 10 月份的时候，石油价格突破了每桶 90 美元，站到了每桶 95 美元以上。我们再看道琼斯指数，道琼斯指数在 2007 年 10 月份见顶。我们看到 2007 年 9 月伯南克降息，当时我讲——世界性大萧条很快就要来了。结果，2008 年 9 月全球大萧条爆发。这是因为，全球交易商在 2007 年以后开始预期美元贬值，大量的钱迅速从股市和债券市场撤出，而转战全球商品市场。2007 年 11 月，中国股市开始从 6 000 点暴跌，而这个时候全球整个商品市场处于强势增仓整理，全球市场金融信号或金融话语已经清清楚楚了，中国股市包括全球股市要崩盘了。2008 年 7 月，全球石油价格是每桶 147 美元；2008 年 7 月，中国股市处于 2 700 点。

2010 年 11 月 10 日，中国大连市场豆粕每吨 3 588 元，2010 年 11 月 12 日中国股市从 3 150 点开始大幅暴跌。现在，大家可以通过对 2010 年 12 月美国石油、美国大豆、美国玉米、美国糖以及美国道琼斯指数的观察发现，它们全部都是壮观地猛烈上涨。这些看似非常简单的金融语言代表了什么呢？这只能说明，中国中央银行的货币紧缩政策在 2011 年第二季度后将进入史无前例的疯狂紧缩。当然，从美国华尔街的战略去看，2011 年中国股市和楼市将崩盘。

这里还有一点，为什么美国股市和全球商品市场会在 2010 年 11 月份以后，会有全球性资金突然大规模疯狂涌入呢？首先，我们都知道 2009 年 3 月，伯南克先生推出了美国第一轮 1.3 万亿美元美国债券的量化宽松货币政策。由于当时 1.3 万亿美元资金规模之中，大部分资金分配给了美国中长期债券，所以美国债券市场出现短期、中期和长期债券同步上涨的结构。这导致的结果是，必然会出现短期和长期美国债券收益率曲线呈现出平稳的走势。收益率曲线表现的是短期债券与长期债券之间的利率差距。金融体系是通过以较低利率借入短期资金，再以较高利率放出长期贷款的方式来从中赢利的模式，而当收益率曲线呈现出平稳状态时，这种活动的赢利能力就会有所下降。现在，美国中央银行第一轮 1.3 万亿美元美国债券的量化宽松货币政策大量配置了长期债券，用来拉低美国长期利率，因此，美国的金融体系必定要面对以较高利率借入短期资金，再以较低利率放出长期贷款的极高信贷风险的局面。所以，这就是美国金融机构为什么手上握有 1 万亿美元超级储备金的原因。2010 年 11 月伯南克推出美国第二轮量化宽松货币政策，美联储在第二轮量化宽松货币政策中 6 000 亿美元国债计划购买额的仅 4% 分配给将于未来 17~30 年到期的美国长期国债。伯南克通过其第二轮量化宽松货币政策在国债曲线中部（即期限从 2.5 年至 10 年的证券）的强大购买力，达到推升全球通货膨胀预期的目的。在这样的货币政策之下，美国的金融机构、大型公司，包括全球债券交易商，都必须迅速大规模建立对冲通货膨胀的有效头寸。美国的金融机构对冲通货膨胀的有效头寸，就是开始大规模放贷；美国的大型公司对冲通货膨胀的有效头寸，就是开始大规模并购；全球债券交易商对冲通货膨胀的有效头寸，就是开始大规模配置商品市场头寸。所以，伯南克首先通过 2009 年 3 月~2010 年 11 月的第一轮量化宽松货币政策，在全球债券市场储备了大量过剩高能货币，然后再通过 2010 年 11 月份的第二轮量化宽松货币政策，迅速迫使储备在全球债券市场上的大量过剩高能货币疯狂进入美国实体经济。现在，美国经济将开始进入加速增长周期，与此同时，全球的农产品和石油价格的迅速上涨，进一步推动全球债券市场上的大量过剩高能货币向美国实体经济更加疯狂地泄洪式涌入。而美国经济将开始的加速复苏，也会疯狂推动中国地区的通货膨胀，所以从通货膨胀这个问题来看，中国地区的通货膨胀恶化，最终会对中国资产带来严重的威胁。伯南克布的局很简单，只是这是金融布局，是要用"金融话语"来说的。

大家以非常客观的心态观察一下上证指数，2009 年 7 月上证指数高点是 3 454 点，2009 年 12 月高点是 3 334 点，2010 年 11 月高点是 3 185 点。首先，中国经济结构并没有好转，企业面对很巨大的问题：劳动成本上升、原材料成本上升和货币升值。2011 年中国企业怎么办？中国股市实际上已经非常明确地传达了中国企业问题将恶化的信号。

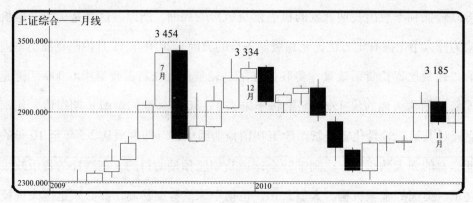

图 23　中国企业问题将恶化的信号

这 3 个不断下行的越来越低的高点，是市场力量的手形成的一个强大压制线（如图 24）。我们要注意这个压制线。市场形成的趋势总是客观理智的，更是不可抗拒的。在这个趋势形成的过程中，要结合中国的经济结构和美国的经济结构去布局这个头寸，要客观面对此时的趋势去布局头寸。

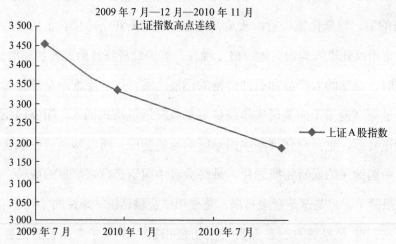

图 24　2009 年 7 月~2010 年 11 月上证指数的压制线图

根据私募基金与风险投资知名研究机构清科的统计数据，中国 2010 年前 11 个月的 IPO 家数与融资额均占据全球半壁江山。2010 年 1~11 月，共有 416 家中国企业在境内外上市，占全球总数的 61.4%；总融资额达 913.36 亿美元，占全球总融资额的 55.4%。

图25　中国IPO占全球家数比例

图26　中国IPO占全球融资规模比例

另据WIND（万得）数据显示，截至 2010 年 12 月 16 日，中国A股市场募集资金规模为 9 346.44 亿元，除去募资费用，实际募资规模达到 9 105.71 亿元，远远超过市场最火暴的 2007 年，当年募资规模为 7 985.82 亿元（如图27）。

在中国经济极端依赖资本市场融资和信贷市场高杠杆时，中国央行 2010 年12 月再次上调存款类金融机构人民币存款准备金率 0.5 个百分点，这是 2010 年内的第六次。粗略估算，此次上调后，中国央行可一次性冻结银行体系流动性 3 000 多亿元。此前，中国央行分别于 1 月、2 月、5 月以及 11 月 10 日、19 日，5 次上调存款准备金率，用以在平抑银行的信贷投放速度的同时收缩流动性。至此粗略统计，6 次上调存款准备金率后，中国央行一年中冻结银行体系流动性

2007年A股市场募集资金规模 46.7%

2010年A股市场募集资金规模 53.3%

图27　A股市场募集资金规模

达2万亿元左右。实际上，中国央行调控的目标最终是减少至少10万亿元流动性，把广义货币量从目前的70万亿元降到60万亿元水平。所以，大家要知道，2011~2012年中国市场将是极端的资金焦渴年。市场形成趋势后的定局是不可抗拒的。

　　我认为对于个人投资，只要注意三个市场：房地产、股票和债券。这些就够了，但不要去参与短线交易。一生做5~6次必然趋势下的大行情就足够了。

　　现在这个全球化的世界，真正的行情必须跟着美元指数的波动操作。

　　过去10年投资中国房地产的话，那是一个必然趋势下的大行情。10年前的中国，有2亿农民需要获得巨大的财富转移空间，3 000万人进入北京、上海、深圳等一线城市，在这种情况下，这些城市土地价格会如何，这是一个1+1=2的简单常识。与此同时，在国际市场上，还伴随着2002~2009年美元巨大的贬值周期。2003年北京的房子每平方米只有5 000元，现在变为每平方米4万~5万元。如何解释这一巨变？这其实是很正常的。人民币史无前例地升值，中国史无前例地有大量人口涌入城市。我们为什么不把握住这样的必然呢？另外，那时工人只要赚几百元就老老实实做工，这是史无前例的廉价劳动力市场。

　　2002年的时候，笔者撰文阐述中国房价必会暴涨，这个财富转移的现象在2003~2005年都还是史无前例的市场信号阶段。在2002年就应该拼命进入中国房地产，市场召唤的信号是这么强烈和明确。2002~2007 年，你每天都可以看到，外省市大量朝气蓬勃、非常有才华的年轻人从上海火车站涌出；同时，2002~2005 年，你每天都可以听到欧元正在逐步占据美元的全球份额。所以，在 2002~2007 年，每天只要看看你周围正在上演的生活点滴，中国房地产市场未来前景的答案便会了然于胸。

现在的情况是，中国劳动力成本上升，中国财政赤字上升。同时，美元指数出现非常明确的三重底或四重底，这是美元价格大筑底的明确信号。首先，2008 年美国次贷危机的爆发，带给了美国市场巨大的结构性转变，进入 2010 年年底，这种转变已经非常明确，就是美国金融部门的高杠杆负债大规模缩减，同时，美国科技公司和美国跨国公司手上囤积了 3 万亿美元现金。其次，美国市场是当今世界通货膨胀最稳定的地区，这也意味着随着全球未来产业的升级或重新配置，美国将是全球资本最青睐的地区。2010 年你每天都可以听到欧元区爆发债务危机或日本财政继续加速恶化的消息。日本央行在 2010 年 12 月首次推出购买房地产投资信托基金（REIT）金融创新，以完成其 2010 年 10 月推出的旨在降低风险溢价与公司借贷成本的资产购买滚动计划。购买房地产投资信托基金行为对日本中央银行，包括全球中央银行来说尚属首次。在这项计划中，日本央行承诺到 2010 年年底前购买 5 万亿日圆资产，购买对象涉及政府债券、公司债券、国内房地产投资信托基金和 ETF 等资产类别。全球交易市场正在形成一个巨大的交易体系，即同步出现"欧元套利交易者"和"日圆套利交易者"，他们共同的做法是，从欧元地区拆借欧元投机美元市场和从日圆地区拆借日圆投机美元市场。"欧元套利交易者"和"日圆套利交易者"的同步出现，将史无前例地形成美元结构性上涨环境，同时，"债券大王"格罗斯表示，他正密切关注美国市政债券走势，此类债券收益率相比美国国债高很多。这位太平洋投资管理公司总裁声称，他正买入那些收益率远高于美国国债的市政债券，而且这些债券收益率比部分公司债收益率还要高，这暗示美国地方财政问题已经达到类似欧元区的程度。格罗斯表示，持有债务"面临一定风险，但并没有违约的实质风险，美国各州在太平洋投资管理公司看来还不会破产"。他认为伊利诺伊州是应该回避的地区，该州预算仅得到55%的资金支持。"债券大王"格罗斯的行为表明，欧元套利交易者和日圆套利交易者拆借进入美国的资金，正在被伯南克推高的美国长期债券收益率吸纳进入美元世界。这表明，2000~2010年全球化中大量发达国家资金进入新兴国家的程序正在出现问题。你可以看看正在形成的结构性欧元套利交易者和日圆套利交易者，以及中国大量县城出现的新城再造。我常到中国一些县城考察，这些县城中的新城每当夜晚降临时，都让你联想到"鬼城"，因为大量建造好的楼盘，到了夜晚却空无一人。这些楼盘的售价每平方米约2 500~3 000元，和上海、北京相比真是廉价至极。可现在出现的问题是，这些县城的房地产商，当务之急是要大量从外部移民进入县城，因为这些与上海、北京相比便宜至极的房子本地的绝大部分居民是消费不起的。中国地方政府为了建筑这些新城，已负债10万亿元人民币。

美国政府为布局美元结构性上涨的大环境耗时两年，而中国人为建筑这些新城也耗时两年。

我们必须实事求是、切实地去理解全球化和了解美国的经济结构。

在2010年12月15日召开的白宫会议上，美国公司高管们请求美国总统奥巴马批准一个减税期，这将有助于美国公司向美国市场转移1万亿美元以上的离岸利润，这些利润目前大部分都在这些公司的海外税收避风港中。这些离岸利润包括美国公司为避税而归于海外子公司名下的几千亿美元，如果美国公司将其转回本土变成遣返盈利，就意味着要按最高35%的税率征税。减税期将有助于公司从海外转回大量现金，从而有助于提振美国经济。美国需不需要转移1万亿美元以上的离岸利润呢，显然没有那么急需，因此它对美国跨国公司逃税转移离岸利润采取了不闻不问的态度。

不过，有的美国跨国公司可以自己想办法，寻找合法途径来规避这种税收。在过去几年的时间里，跨国公司已经采取了被称为"the Killer B"和"the Deadly D"之类的一些策略，来将现金转回美国市场。证券监管文件显示，美国第二大制药公司默克公司 2009 年从海外市场转回了 90 多亿美元现金，来帮该公司对先灵葆雅的收购交易融资，但没有为此向美国政府缴纳任何税收；美国最大制药公司辉瑞也在 2009 年从离岸市场转回了 300 多亿美元资金，用于该公司对惠氏的收购交易，并采取了措施将其应缴纳的税收最小化；礼来制药在瑞士和特拉华州披露的信息表明，在 2008 年以大约 60 亿美元的价格收购了 ImClone Systems 公司以后，这家总部位于印第安纳波利斯的制药公司采取了许多措施从海外市场上免税转回现金。

熟悉法律的美国公司擅长向本国市场遣返数千亿美元的海外盈利，而仅向美国当局象征性地缴纳微不足道的税收。它们首先动用庞大的经济资源来将盈利转移到税收避风港，然后以尽可能低的税收成本将这些利润转回美国市场。克雷恩巴德称，整体而言，美国公司利用各种策略来逃避缴纳海外盈利的税收，它们每年避缴的联邦所得税高达 250 亿美元左右。纽约凯威莱德国际律师事务所的合伙人戴维·米勒称，"美国针对跨国公司的现行国际税法体系是全世界最好的"，原因是美国公司可以通过将盈利转往海外低税收地区的方式来推迟联邦所得税的缴纳时间，然后在遣返这些盈利时利用海外抵税计划来让这些盈利免缴美国税收。在这个问题上，美国公司拥有来自税收规划行业中的许多律师、会计师和投资银行家的帮助，比如由毕马威会计师事务所的税务顾问组成的一个顾问小组等。这些税务顾问之前在费城召开了一次会议，就跨国公司从海外市场遣返现金而无须或推迟纳税的一系列技巧进行了讨论。

针对这一现象，美国国会 2010 年 8 月通过了弥补漏洞的规定，这项新规定旨在解决预计将达 1.4 万亿美元的美国联邦预算赤字问题。根据最新规定，美国公司将更加难以操纵它们所获得的信贷为减少税负而到海外市场上纳税。美国明确在千方百计地阻拦美国这些大公司资金回归美国本土，但这些大公司却又很热衷于回归本土，而不是在新兴市场疯狂扩张。这是一个怎样的信号？这个信号传达给我们的仅仅是这些大公司冒着法律风险无耻地逃税吗？

钱伯斯在白宫会议上提出了减税期的建议，这个减税期可能类似于 2004 年的减税期，允许跨国公司以 5.25% 的税率将海外盈利转回美国市场。当时，美国国内税务署报告，美国公司向本土市场遣返了 3 620 亿美元盈利，其中 3 120 亿美元符合减税要求。这又是什么信号？说明美国这些资金需要回归的时候就是一个文件这么简单，美国各州困难的地方财政真的只能破产吗？

思科发言人詹妮弗·格里森·杜恩认为，这是对一个长期问题的短期修复，这个问题就是美国税收结构不具备竞争力。截至 2010 年 7 月 31 日，思科的未分配海外盈利总额为 316 亿美元，思科未就这些盈利向美国政府缴纳任何税收。据一名要求不被具名的白宫官员透露，奥巴马总统已经要求美国财政部长盖特纳与商业领袖一起追踪此事。同时，据美联储公布的数据显示，美国公司的现金储备已经触及历史最高水平，其流动资产总额高达 1.9 万亿美元。

美国跨国公司通过转让定价的方式将盈利转出美国市场，借此来提高公司利润。比如谷歌，在过去 3 年时间里，它通过将大多数海外利润转移到百慕大的方法，使本应缴纳的税收少交了 31 亿美元。

美国制药商向海外市场转移的利润要远远超出在这些市场上的实际销售额。2008 年美国大型制药公司在海外市场上报的税前利润在总税前利润中所占比例大约为 4/5，远高于 1997 年的大约 1/3。将太多利润归于海外子公司名下，可能意味着美国跨国公司"将太多的现金搁浅在离岸市场上，从而使在本土的业务活动窒息，原因是如果不缴纳联邦税收，海外盈利就无法被用于在美国市场上建造工厂等的用途。据彭博社的数据显示，截至 2010 年年底，美国公司的这种"无限期再投资离岸盈利"的总额已经超过 1 万亿美元。

现实的全球化的今天，美国的跨国公司现金储备已经达到历史最高纪录，并且美国跨国公司海外的留存利润也达到了历史最高纪录。全球化的竞争体系在于现金储备、定价权储备和交易体系储备。

美国海外公司迫切地要把海外的钱带回本土，说明新兴市场对他们的吸引力在减少，本土更有吸引力。美国国会暂时还是不希望这些资本回归，整体战略来说这样可以推高发展中国家的通货膨胀，尤其是中国。美国国会现在设置的高税收，是设置门槛阻止这些资金回国，确切的意图是中国的通货膨胀还没有达到美国要求的火候，中国的"伪通胀"还没有失控，如果这些资金撤离会给中国楼市带来致命打击，海外资本这张牌对于美国来说只是什么时候应该出手的问题，这又是一个美国游刃有余的可选方案。在特定的时机撤离就可以引发中国的大危机，如果届时中国央行必须采取宽松的货币政策来挽救楼市，就会出现引起人民币贬值预期的结果，这种情况下必然会引发最严重的危机形式——"货币危机＋金融危机"。美国的这张牌在这时就可以作为一个导火索了。

低廉的劳动力成本使投机资本踊跃投资新兴市场，导致新兴市场货币泛滥，进来钱容易，大家都欢迎，但如果钱撤走了，我们有没有这样的心理准备和对应撤走资金的能力？1996 年东盟的经济危机就是资金在"恰当"的时刻撤走引发的。如一个富翁在一个村里撒了 100 个亿，他走的时候带走 200 亿。钱来了的时候小村沸腾了，钱被带走了以后大家又回到了过去，而在心里留下的是巨大的痛苦。2010 年年底我家里的钟点工回家过年了，带着每月四五千元的工资回家。过年期间，她家里的三四亩地被政府征用来建一个新的镇政府，政府给她家补偿了 10 多万元。她老公希望她留在家里做小生意，可以不出门打工了，而这位钟点工耐不住乡村的寂寞，又回到上海，她需要更多的钱扩建房子，还要把房子豪华装修一下，等拆迁换个好价钱，她带着年前用工荒时的兴奋回到上海，可没几天她就发现，请钟点工的人锐减，她也渐渐失去了刚回上海的兴奋。春节期间代替她来我家的咖啡店里的雇员，春节后为高涨的房租而惶惶不安，随时准备退出上海；按摩店门可罗雀，让那些以按摩为生的农民工慌不择路，其中有人家里已经没地了，有的孩子重病，有的家里老人重病，每家都有个与他们的收入不相称的开支口子。开店的小老板面对高企的房租、员工工资、采购成本和日渐稀少的客源叫苦不迭，而这一切只是刚刚开始。

小时候大家都听过普希金的《渔夫和金鱼的故事》，如今我们正在面对和那位老婆婆一样的命运吗？善良的普希金不忍心再向我们展示老婆婆那颗流血的心，老婆婆至今不知道自己错在哪里。错误的行为导致的后果是非常残酷的。如果我们是"金鱼政策"的参与者和被动受害者，当有一天金鱼不能再负载我们的膨胀时，我们也会措手不及吗？老婆婆生活变化的落差之大、之快对于她是毁灭性的打击。在错误道路上人的恶属性一旦爆发，就像潘多拉盒子里的魔鬼，恶性累加性地扩展，所到之地寸草不生，只有污染环境的工厂。这不是金鱼想看到的，但金鱼也束手无策。"金鱼政策"下的老婆婆爆发模式激励了一个个村、一个个地区，大家纷纷拿出祖传的土地、资源换"金鱼富贵"。对于无限的追求采用了错误的方式去获取，这是无限的愿望与有限的智慧的矛盾，是欲望与大脑的矛盾。

2010年12月26日中国央行宣布上调基准利率的同时，也"低调"地上调了对金融机构贷款(再贷款)利率，其中一年期升0.52个百分点至3.85%；同时又上调再贴现利率，由1.80%上调至2.25%。二者均为两年来首次调整。

中国央行还决定，其对金融机构贷款的6个月期利率从3.24%升至3.75%，3个月期再贷款利率从3.06%升至3.55%，20天期再贷款利率从2.79%升至3.25%。这是，中国央行两年来首次上调再贷款利率和再贴现率。

中国央行利率有 5 种，分别是：再贷款利率、再贴现利率、存款准备金利率、超额存款准备金利率和央行票据的利率。

2010 年年末，中国央行开始迅速紧缩中国地区的货币，这场中国货币紧缩周期将严重消耗中国企业的现金储备。2010 年年末的美国地区却出现了美国跨国公司有史以来最大规模的现金储备。在这场全球化的竞争中，目前，发达国家的制造业成本正在以每年 1%~2% 的速度下降，而中国制造业的成本正在以每年 3%~5% 的速度上升。今天，金融世界的语言已经说得非常清楚。2010 年 12 月 31 日，美国纳斯达克指数收于 2 652 点。具体来说，10 年前的 12 月 11 日，正是纳斯达克综合指数最后一次收于 3 000 点以上的时间。那时，距离科技类股于 2000 年 3 月飞跃 5 000 点达到峰值已经大约 8 个月了，而之后大约 10 个月，则是"9 · 11"恐怖袭击发生的时间。

那时候，神采奕奕的克林顿还是美国总统。不过，尽管美国这个国家当时面临着那么多的政治变数，科技股投资者却几乎都是信心满满，坚信纳斯达克指数将迅速回到 3 000 点以上。当时，MarketWatch 科技专栏作家德沃拉克指出，纳斯达克指数已经处于令人难以置信的超卖水平，3 000 点将是一个重要的底部，而不是遥不可及的天花板。

如今纳斯达克指数经历 10 年整合旅程，终于离 3 000 点那么近了。在这 10 年间，硅谷不断创造着财富，也不断损失着财富。谷歌上市了，产生了一大批新百万富翁。乔布斯带领苹果公司走向了新生，而且也引领了科技行业历史上屈指可数的股价秀。重要的是，纳斯达克指数只用了短短两年时间，就战胜了美国次贷危机的冲击，并取得了辉煌成就。现在，美国科技行业的营收正史无前例地大举增长，伴随大规模并购的持续复苏，那些最大的科技企业所囤积的 1 万亿美元现金就将全线出击。

中国的 3G 美国的 4G 是交易信号

　　为什么 3G 与 4G 是一个整体交易市场中的重要信号呢？信息时代的全球化，信息的传播速度改变着这个时代的每一个个体，每一个个体对信息速度的无尽追求是推动全球信息传递的完美动力，同时信息世界的每一个技术突破都牵动着全球的经济发展。逆水行舟，不进则退，如果中国不能迅速与世界先进的信息技术同步，还深陷于淘汰技术的泥潭，后果可想而知。

　　美国科技企业总能引领全球。2007 年苹果 iPhone 的用户就可以"一网在手"了。2010 年智能手机开始普及，大家都可以通过手机随时随地浏览网页、看电影、下载音乐，用的只是 Wi-Fi 连接，再也不用受地点限制。仅在 2010 年第三季度，全球共售出大约 8 100 万部智能手机，差不多是 2009 年第三季度的两倍。在这一季度，每售出 5 部手机就必有一部是智能的。用不了 5 年，随着智能手机迅速普及和成本的不断降低，全球智能产品对无线市场的需求必史无前例。

　　苹果和 iPad 打开了平板电脑的全球市场，新产品刚上市半年就卖出 750 万部。苹果的 iPad 触摸屏平板电脑是又一类新的移动产品。我一位朋友带 10 岁的儿子来我家看小猫，没过一会儿，小孩子就对小猫失去了兴趣，忍不住掏出 iPad 玩上游戏了。我批评朋友不该给这么小的孩子玩 iPad，朋友说："没办法，同学都有，他没有怎么行，他妈妈单位，女同事一人一台。"从我的朋友就可以看到 iPad 未来的必然占有率，如同手机必定取代寻呼机一样。我忍不住问，是否可以用 iPad 写文章，朋友说没那么方便。我想不久的将来，iPad 一定会被改进得方便写作，这样使用 iPad 的人会更多，比如我就会加入其中。

　　谷歌的移动操作系统安卓在 2010 年进入大发展的阶段。我本人已经是安卓的用户了。安卓在市场份额上超过苹果，使谷歌利润巨大的搜索引擎也跟上了移动设备的发展前途。

安卓的下一步目标是向低端市场扩展，安卓手机无补贴价格可能将降低到 100 美元以下，目的是占有市场，对智能手机占有率产生巨大的推动作用。苹果和安卓的前进方向是，控制全球智能手机高端、中端和低端的所有份额。我常去的一个咖啡馆，生意不是很好，一壶茶喝干很久也不见服务员来添热水，要么大声喊服务员加水，要么自己动手加水。因为服务员们躲在摄像头的盲区一直低头操作手机，上网太投入忘记了周围的一切，他们说寂寞没事干，手机上网可以打发时间，所以收入再少、物价再涨也要更新手机，打发寂寞。

2010 年智能手机应用程序得到了大发挥。电脑上数以十万计的小程序，被巧妙地用到了智能手机上，使智能手机增加了趣味性和实用性。2011 年全球网上应用程序商店的下载量将达 177 亿次，比 2010 年下载量的预计值 82 亿次增长 117%。同时 2011 年全球网上应用程序商店的收入，包括终端用户购买程序及广告的收入，预计将超过 151 亿美元，有望比 2010 年增长 190%。

2009 年，美国的无线网络开始完全转向了第四代，2010 年夏天，斯普林特率先推出了 4G 手机，到了 2010 年年底，Verizon 无线也进入了 4G 时代。4G 技术特点是提供超快速的宽频服务，无线视频可以轻松播放。再用一年左右时间，随着智能手机的高度普及，网络的扩张也必定会跟上。4G 通信取代 3G 通信是必然的进步，全球化下谁先进入先进的通信领域，谁就抢占了先机。

4G 通信技术必将迅速取代 3G，只可怜中国巨资投入的 3G 将成"鸡肋"。一位参与研发 3G 的工程师坚定地说，中国的 3G 没有浪费，因为我们知道错在哪里了。另一位工程师说，3G 可以改良和升级当做 4G 用的，只是赶不上 4G 的功能。两位工程师实在舍不得自己多年的辛苦没有得到应用就过时了。现实是，全球已忙着铺开 4G 终端。4G 通信对于中国的可怕在于，它不是从 3G 通信的基础上经过简单的升级而演变过来的，它们的核心建设技术根本就是不同的。3G 移动通信系统主要以 CDMA（码分多址）为核心技术，而 4G 移动通信系统技术则以正交多任务分频技术（OFDM）为主。

2011~2013 年，将是美国科技部门全速进入 4G 时代的里程碑。全球运营商对 4G 的部署进程正在提速，这在美国市场表现得热火朝天。Verizon 公司正在推进 LTE[①]的商业化进程。AT&T 在 2011 年全面推出 LTE 网络。Verizon 公司 2010 年已经对人口达 1 亿的 25 个市场覆盖 LTE 网络，到 2012 年将完成在美国 75% 的网络覆盖，2013 年将全面完成覆盖。

2010 年 Sprint 公司已经在美国 27 个城市推出了 4G WiMax 服务，网络覆盖人口达到了 3 000 万人。2010 年年底，WiMax（全球微波互联接入）网络用户总数将达到 1.2 亿人。该网络覆盖人口到 2011 年年底将超过 10 亿人。4G 必然取代 3G。从 2011 年开始，发达国家的无线运营商开始部署 4G，以提高网络速度，满足智能手机使用激增所带来的强烈的数据流量需求。这将使全球无线基础设施设备方面的支出恢复增长，扭转之前连续两年的下滑局面。4G 驱动的资本支出增长，至少将持续到 2014 年。

LTE 发展势头强劲。2010 年有超过 20 个运营商会推出商用 LTE 业务，有 31 个国家的超过 60 个运营商认可 LTE，支持 LTE 的运营商数量会比 2009 年同期翻番。如今，越来越多的全球消费者利用智能手机来上网、观看视频和下载应用程序，导致移动网络的数据流量迅猛增长。因此，Verizon 公司和 AT&T（美国电话电报公司）都在构建 LTE 网络以满足日益增长的数据流量需求。

与全球潮流形成鲜明对比的是，中国国内耗尽 5 000 亿人民币的落后 3G 的发展仅开始一年多。中国三大运营商的网络还未成型，正在大量弥补终端的短板，加快应用的开发力度和大力拓展用户规模。现实是，中国 3G 发展不如预期，根据工信部统计数据显示，截至 2010 年 6 月底，我国 3G 用户累计为 2 520

---

① LTE（Long Term Evolution），长期演进，是一项 4G 网络制式。——编者注

万户。由于三大运营商在 3G 上投入巨资，导致投入产出比例严重失调。而且，拿着 3G 手机使用 2G 功能的不配套现象非常普遍。中国三大运营商效率最高的中移动，现在将一个 2G 用户转换成 3G 用户的成本为 600 元人民币。

在美国，人类的科技进步正在展现着空前的渗透速度和广度，2011~2012 年将是美国 4G 时代。一场巨大的科技技术设备转换已经在美国社会拉开序幕。随着这场巨大的技术设备转换的推进，美国社会将成为世界历史上第一个用 3 年时间成为世界劳动生产率巨幅增长的国家。2013 年，美国纳斯达克指数将突破 5 132 点历史纪录，达到 6 000 点。因为在 2013 年，许多传统制造业在美国被科技进步消灭，就像纺织机取代了人工纺织时代一样。目前，美国加州将在 4 个学区开展试点，用苹果 iPad 代替 400 名 8 年级学生的代数课本，来展现互动数字技术较传统教学方法的优越性，标志着课程由印刷媒介向数字化的转变。使用 iPad 的学生将可以实时访问 400 段来自教学专家的讲课视频，而不必完全依赖于老师的课堂讲解。除此之外，还会有家庭作业指导和动画教学帮助学生完成作业。借助 iPad，学生还可以记录语音和文字笔记，并且直接利用 iPad 做作业，使得老师可以实时追踪他们的学习进程。美国 4G 时代的到来在全球历史上或许是一场很微小的实验，但它的背后却可能是人类的又一次伟大进化，随着美国 4G 的推广，未来美国所有的学校、企业、军队、家庭还有美国政府将不再需要纸制课本、纸张、各种笔、墨水，还包括这些物品的运输，许多传统制造业将大批量彻底退出美国世界的舞台。

2013 年，美国的小学生轻松拿着 4 英寸苹果 iPad 平板电脑，坐在户外通过 4G 技术进入全球信息世界。这台 4 英寸苹果 iPad 平板电脑，将是这位美国小学生的课本、作业本、导航、心理医生、手机、电视、购物卡等。2020 年，纸制课本、纸张、各种笔和墨水在美国将成为"古董"。当然，如果 2013 年中国也像美国一样大规模建立 4G 技术；大规模建立节约运输成本的高效经济结构，那么，中国三大电信运营商和中国高铁就要全部取缔。全球化的经济结构，必定是越来越高效的经济结构，其包括大量传统制造业的消失和退出，并建立全球化下最有效的生产模式和最高效的生活模式。

全球化的今天是网络共同前行的时代，网络的科技进步超前性已成为了一个国家经济实力的真实体现，传统制造业发展的科技内涵的局限性，必定导致制造业在网络时代经济体中的微利性。传统制造业的黄金暴利时代已经伴随日本的陨落在褪去光环。这是人类发展的必然趋势。所以，美国的4G与中国的3G在我们的交易中就是一个明确的信号，是一个趋势性信号。

在我们继续为3G大规模投入和负债的时期，美国不仅已经进入了4G时代，更重要的是，这是一场政府力量阻碍社会技术进步和中小企业推动科技进步的鲜明对比。步入今天，全球化的参与者们最终面对的不仅仅是许多产业将破产的局面，而且许多产业在科技进步的洪流中会顺理成章地被淘汰。2001年苹果公司的iPod出现了，日本索尼公司的核心层还不以为然地想象着新型索尼的随身听很快会消灭苹果公司的iPod。当然，美国"车库文化"诞生的微软、苹果、谷歌、Facebook在初期，被许多人认为是一种"小魔术"，然而它们的"星星之火"取代了随身听、唱片业、传统媒体、教室……同样"小魔术"可能很快也会使伐木工、中低档照相机、出版商、邮局、收费员、配音员、播音员、飞机机长、出租车司机成为历史……这一切是人类进步的必然。做投资也必然要顺水行舟地看问题，跟上时代"星星之火"的步伐。

同一个信号下不同的结论判断

对于同一个信号事件，得出的结论可以是截然不同的，这是一个伴随人类永远存在的现象，虽然真理和结论是唯一的。

在美国正进入最伟大的全球现金定价和全球科技定价倒计时的时刻，中国市场到处弥漫着美国崩盘的学说。

的确，距离美国地产泡沫破裂已经快5年，笼罩在美国房地产市场上的"寒气"仍未驱散。标准普尔公司2010年12月28日公布的数据显示，标准普尔/凯斯－席勒全美20个大城市的房价指数环比下降1.3%，同比下降0.8%，跌幅高于预期，并创出10个月新高，美国20个大城市的房价自2006年的高点至今已累计下滑超过32%。对此，著名的"末日博士"美国纽约大学经济学教授鲁比尼表示，美国房市正陷入双底衰退之中，他认为，除了低于趋势水平的经济增速之外，政府税费减免政策到期以及止赎文件错乱等导致的银行房屋止赎程序中止等因素，都令房价承受着压力。不过鲁比尼并未预计美国总体经济将出现双底衰退，他表示除房地产外，美国经济的其他领域正在复苏。标准普尔指数委员会主席戴维·布里泽认为，"房市二次探底即将到来"。美银美林经济学家梅耶预计，美国房价将继续下滑，直到"2011年达到一个脆弱的底部"。

美国房地产数据提供商Zillow公司首席经济学家汉弗莱斯预计，在2011年下半年触底前，美国房价还将下滑5%。他认为，美国房地产市场上的供应远远高于需求。据统计，包括已经和即将止赎的房屋在内，美国房屋库存量已达到720万套，需要21个月才能全部消化。

Zillow公司日前披露的数据显示，2010年以来美国房市总市值已经蒸发1.7万亿美元，这使得4年来美国房市累计蒸发的总市值高达9万亿美元。

同时，美国通货监理局（OCC）和美国储蓄机构监理局（OTS）2010年12月公布的数据显示，第三季度新启动的房屋止赎案增加至38.2万户，比上季度猛增31.2%，比2009年同期增加3.7%；正在处理的止赎案增加至120万户，比第二季度增加4.5%，年率上升10.1%。

2010 年 12 月 19 日，成功预测花旗银行破产的华尔街著名分析师惠特尼表示，由于无法偿还所欠下的数以万亿计的巨额债务，超过 100 座美国城市可能在 2011 年破产。惠特尼担心，美国地方债务危机是美国经济面临的最大问题，会严重阻碍美国经济的复苏。经济衰退令美国地方税收锐减，社会保障等支出却急升，资不抵债的风险恶化，早已债台高筑的州郡只能破产。

统计显示，美国州和市政府的债务总额高达 2 万亿美元，各州郡被迫削减警力。减少照明、道路维修和街道清洁服务；甚至通过公立大学大幅调高学费来增加税收。美国全国州长协会在 2010 年 6 月报告称，各州总开支连续两个财年下降，这是 40 年来第一次出现这种情况。

奥巴马曾在 2010 年 6 月要求国会向各州紧急援助 500 亿美元，以避免各地教师、消防员和警察下岗。在美国，只有联邦政府允许出现赤字，地方必须平衡预算，否则将面临债务违约问题。目前已有 11 个州面临大幅预算缺口（超过总开支的 10%），而且缺口很可能持续到 2013 年。这种持续的预算缺口只在 20 世纪 30 年代大萧条期间才出现过。

一方面是美国联邦政府刺激资金的终结，另一方面是负债累累的地方政府，各州正面临令人难以置信的连续三年预算赤字，势在必行的预算削减将导致就业岗位的减少、公共服务的收缩，伤及数以百万计的美国人的生活。

从规模上来讲，这场财政灾难在加州和纽约州尤为严重。这两州的经济规模都超过希腊。由于面临结构性赤字，加州和纽约州经济几乎陷入瘫痪。加州还被迫发行了记名认股权证，2010 年预算出现 190 亿美元的缺口。而在纽约州，公共部门雇员工会不接受任何的减支协议。

换个角度来看这场危机。比如，北卡罗来纳州夏洛特县大部分的图书馆分部会因为缺乏资金关门。破产已成了全美各地的话题，很多投资人担心，地方政府债券已经变成由债务推动的最可能破灭的泡沫。加州公立雇员工会正在游说通过法案，禁止政府完全破产，他们十分担心大规模的政府债券违约导致政府最终无法向他们支付退休金。目前，法律禁止各州申请破产保护，因此，虽然很多州实际上已破产，但最终它们仍可以使收支相抵。

虽然州一级政府也可以在市政债券市场上发行债券，但这些收入不能拿来做政府运营资金，只能投入在有收入担保的基础建设上，如机场和高速公路。所以，许多州政府已经没有什么办法可想。最后，向联邦政府贷款是最后一招了。但根据美国法律，各州"自己赚钱自己花"，联邦政府只在自然灾害等危急时刻才出手，救援各州并无现成程序。

与企业破产不同，美国各州并不会走向真正意义的破产，美国《破产法》不允许州破产，其实质是州政府财政出现短缺，难以支付各种公共支出，而在一定期限内又无法解决赤字危机的状况，由于美国州政府无权申请破产，因而各州将通过削减开支、增税来降低预算赤字。

但是，美国地方政府有权申请破产保护，而且财政收入的低下以及劳动力成本的高企将迫使越来越多的地方政府寻求申请破产保护。不过，美国联邦政府和州政府对市政债券市场提供的补贴以及充裕的削减支出空间，使得地方政府可以延期支付利息或进行债务重组，而不至于陷入债务违约的境地。但是，财政援助将造成联邦政府、州政府和地方政府债务和付息成本继续攀升。自1937年以来，美国共有619个地方政府机构（大多数是小型公用事业机构或者区域）申请破产。相较于欧洲城市，美国的城市更依赖于向投资者发行债券来集资，因此违约率也更高。

以上是美国现如今出现的一个情况，这个信号在中国央行和中国经济学家眼中，是美国破产的信号。人性存在着致命的弱点，会在心里下意识地放大对自己有利的信息，有意识屏蔽对自己不利的信息，这种人性的弊端对于某个个体的危害是一个个体事件；而它在公众生死存亡的时刻放大，则可能造成一个民族的致命危机。

　　经济健康发展也如同自然界需要一张一弛和新陈代谢一样，在旧的模式退出经济舞台与新的、先进的模式走上舞台的交接时期，近在眼前的危险正在他们的嘲笑声中向我们袭来。美国房地产市场的脆弱和跌幅是有限的，存在着随时反弹的可能性。

　　美国经济长期以来呈现的复苏都是"无就业复苏"，在本轮经济复苏中，美国就业市场比经济探底晚了6个月。这与2001年衰退以后的滞后期相比已经缩短了许多，当时的时间是19个月。另外，1982年，里根在美国中期选举中遭遇惨败，当时的美国失业率与今天的水平差不多。到1984年，美国经济强劲反转，里根先生以一边倒的形式获胜。同样，奥巴马也将复制里根时期美国经济迅速强劲反转的一幕。

　　2010年12月美国的核心同盟国加拿大、澳大利亚和英国都不约而同地推出了堪称"同盟国战略的决定性移民政策"。

　　2010年12月1日，加拿大正式施行投资移民新政。投资移民申请者的净资产从80万加元提高到160万加元，投资额从40万加元提高到80万加元。加拿大投资移民有两种方式，投资期限为5年。申请人可选择全额投资：向加拿大政府指定并担保的基金投资80万加元，5年后无息返本；也可选择另一种贷款投资方法：向加拿大政府指定并担保的基金一次性支付22万加元，由基金帮助贷款80万加元完成投资要求。而澳大利亚移民新政取消了面向高级管理人群的163B类商业移民，又将163A类、164类股东投资移民的门槛从25万澳元提高到50万澳元。至于163A类投资移民资产的要求，如果企业年营业额为30万~40万澳元，申请人需持有51%以上股份；营业额在40万澳元以上，则要求申请人拥有所有股份的30%。这是澳大利亚自2003年改变商业移民条例以来作出的重大调整。目前大多数澳大利亚投资移民申请人一般先申请4年临时居留签证，然后在澳大利亚当地进行实业投资，企业的营业额、利润以及投资人占公司股份达到一定标准后，就可以拿到绿卡。英国政府将把2011年非欧盟技术移民人数限制在大约4.3万人，比2009年减少13%。英国统计数据显示，技术移民是外国学生和英国人外籍家属之外来到英国的主要移民群体，2009年英国的净移民总数是19.6万人。此外，英国政府还将审议是否继续允许留学生在结业后留下来找工作。政府部长还建议2011年削减在英移民的家庭成员赴英团聚的人数。英国移民局官方发布文件显示，高技术移民限制新规定部分已落实，并于2011年4月开始推行。同时，近日英国内政部宣布，英国政府计划取消留学生在英国大学毕业后的PSW工作签证，并明确表示，来自欧盟以外的留学生在学业结束后必须返回原住国。

美国的EB-5在"区域中心"和"目标就业区"的投资移民，移民投资额由100万美元降至50万美元，投资人在这个区域内投资50万美元且不需本人来操作管理。只要是区域中心间接创造出的就业机会，就可视为投资人完成了10个创造就业机会的指标。当两年解除条件时间到来时，即可取消附加条款，投资人可转为正式的美国永久居民。同时，EB-5对申请人的要求相当宽松，没有商业背景、年龄、教育程度及语言能力的限制，只要证明其投资资金为合法取得。一人申请，全家（配偶及21岁以下未婚子女）均可同时获得绿卡。申请成功后可自由选择美国任何城市居住，或继续留在国外生活。美国投资移民2010年平均申请时间为半年左右，相对于加拿大移民快得多。美国移民申请速度加快的示范作用很大，包括2010年12月，美国突然成为世界上发达国家中移民需要投资金额最少的国家。2009年10月奥巴马将"EB-5项目"移民法延期了3年，有效期至2012年9月30日。2010年12月的堪称"同盟国战略的决定性移民政策"，大幅提高了加拿大、澳大利亚和英国的移民成本，而在2011年到2012年年中，美国大幅降低了EB-5移民美国的成本。美国、加拿大、澳大利亚和英国正在联手创造 2011 年到 2012 年年中这段时间最火暴的美国移民热潮。这是为什么？还有，EB-5 申请绿卡速度之迅速和便捷，美国的空屋还会发愁无人购买吗？

美国人口的增加方式是世界人口发展史上最与众不同的。从 1776 年 7 月 4 日建国以来，美国人口直到 1915 年才达到 1 亿。也就是说，美国人口用了 139 年的时间才突破 1 亿。52 年后的 1967 年，美国人口超过 2 亿。39 年后的 2010 年，美国人口达到 3 亿。近年来，美国人口增速加快，主要原因是移民增加以及移民生育子女的增加。美国皮尤拉美裔研究中心一位人口统计学家估计，美国 1967 年以来新增的 1 亿人口中，一半是移民及他们的后代。如果没有这些人，美国人口将是 2.47 亿，其中拉美裔人口将是 1 600 万，而不是现在的 4 400 万；亚裔人口也将只有 200 万，而不是现在的 1 300 万。美国人口数量目前仅次于中国与印度，在发达国家中排第一，同时在工业化国家中人口增长最快，每年增加约 280 万人。但美国平均每平方公里仅 33 人，与欧盟国家的 120 人和日本的 360 人相比，还属于地广人稀，还具很强的发展弹性。美国的移民政策可以大大缓解美国的老龄化进程，甚至把美国的老龄化问题转变为一个短期问题，美国的中长期不再受老龄化问题的困扰，这是美国保持全球先进性的又一有力策略。短期发展的同时必须兼顾为长期发展搭建一个健康的结构性框架，否则必然成为爆裂的"气球经济"。

美国、加拿大、澳大利亚和英国联手创造了 2011 年到 2012 年年中这段时间最火暴的美国移民热潮，2011 年是逐步改善美国楼市的一年，2012 年将成为美国楼市"大丰收的一年"。未来，美国就业岗位及美国移民的迅速增长，意味着房地产建筑业在 2011 年的房屋开工量很可能达 73.9 万套，创下 3 年来最高水平。最新数据显示，11 月全美房屋开工量达 55.5 万套，而在 2009 年 4 月的历史最低点时仅为 47.7 万套。所以，华尔街美女分析师惠特尼的"由于无法偿还所欠下的数以万亿计的巨额债务，超过 100 座美国城市可能在 2011 年破产"的问题，在 2010 年 12 月份的"同盟国战略的决定性移民政策"面前变成了"小孩问题"。

2010 年 11 月美国的二手房签销指数环比增长 3.5%，这进一步表明美国房地产市场在较低水平上已趋于稳定。美国 11 月的二手房签销指数环比增到 92.2，超过 10 月的 89.1。尽管环比增长了而且超预期，但 11 月的指数较 2009 年同期仍低 5%。二手房签销指数体现的是买卖双方已签约但交易尚未完成的二手房数量，在美国，最终完成交易通常在签约一到两个月之后。这些数据表明 2011 年以后房地产市场将逐步复苏，证明经济状况在改善，这样 2011 年的房价可能增长 0.6%，至每幢 17.37 万美元。随着美国逐步清理过剩房屋库存，供应量最终将与历史平均水平一致，这可能推动房价在 2012 年增长 2%~3%。此外，2011 年的二手房销量将在 2010 年 480 万幢的基础上增长 8%，达到 520 万幢；2012 年销量将在 2011 年基础上再增长 4%。美国 11 月的二手房签销指数环比增长 3.5%的良好表现，说明美国长期债券收益率的快速上升，正在让美国家庭开始降低近年来出现的高储蓄率，更愿意加大股票和楼市的配置。最可怕的一组数据是，2010 年第三季度，美国消费者固定还款额占收入的比重从 18.9%降至 16.8%。事实上，这个比率已经低于过去 30 年的平均水平，回到 20 世纪 90 年代中期的水平，说明美国这个巨大的债务国家，债务在消失，美国又可以进入一个消费的市场，美国的实际债务，并不像中国央行想的那样。美国的债务在美国政府的运作下不是负担，中国的巨额贸易盈余做大了美国，协助美国完成了经济去工业化的战略转型，完成了美国的全球化大布局，使美国又进入了一个新的发展腾飞期。

随着美国总统奥巴马和国会共和党人就美国税收问题达成一致意见，特别是一年工资税削减协议的达成，使许多华尔街经济学家都开始准备上调美国的经济增长预期。该协议将延长小布什时期签订的所有税务削减政策，并延长联邦失业救济，降低美国劳工工资税 2%，削减工资税总额预计将达 1 200 亿美元。该计划将延长 15% 的资本收益税率政策，并提出给 35% 的房产税以 500 万美元的免税支持。紧急失业救济金将延长至 2011 年底。该减税刺激的另一面，是将恶化美国政府业已紧张的财政状况。预计美国财政赤字占国内生产总值的比例在 2011 年将由先前预测的 8.5% 增长到 9.5%，预计 2012 年将由先前估计的 6.9% 增至 9.8%。糟糕的美国财政赤字和 1 500 万人的美国失业大军，表面上看是美国开始巨大衰退的现状。问题是，所有的中国经济学家都无法解释，2010 年美国股市为什么表现非常强劲？而糟糕的美国财政赤字和 1 500 万人的美国失业大军会对未来美国股市有什么影响？

中国经济学家都认为，糟糕的美国财政赤字和 1 500 万人的美国失业大军会对未来美国股市产生非常不好的影响。但是，美国市场的交易者并不是不知道这个情况，所以从市场表现来看，在美国市场的交易者眼里，这些情况却是好事情。

首先，大家应该知道，伯南克的美国量化宽松货币政策会导致美国地区未来通货膨胀出现加速上升。所以，大量的美国财政赤字和美国量化宽松货币政策，未来会加速度推高美国长期债券收益率，而美国长期债券收益率上升必定大规模吸引全球资本涌入美国资本市场，美元就会在这种情况下大幅上升，所以，美国核心层最终是要依靠绝对强势的美元，控制美国通货膨胀。并且，未来大规模全球资本涌入美国资本市场后，面前糟糕的 1 500 万美国失业大军必定会迎来就业浪潮。先大规模储备失业大军，会尽量平滑届时的美国通货膨胀率。所以我们可以看出，美国股市牛市周期要达到 7~12 年，而中国股市牛市周期只有 2~3 年，这是因为二者战略上有所不同。

在 2009 年中国政府为拉动内需的 10 万亿人民币大规模投入后，中国的基础建设项目囤积了 4 000 万~5 000 万农民工。而在 1985 年之前，美国金融部门在整体经济当中所占据的比重从来不曾超过 16%。但在过去 10 年的全球化高速奔跑中，美国的金融部门迅速成长为一头占据美国国内生产总值 41% 的全球新世纪的恐龙。对于今天的中国，我们如何嘲笑美国的创新革命呢？许多中国经济学家们认为美国的高失业率和高负债率是美国开始衰弱的象征，但是在华尔街的巨大推动下的全球化这个时刻，我们需要理解周围的生存环境。2009~2010 年中国进口大豆 5 034 万吨，而 2009 年中国进口大豆 4 255 万吨，2008 年中国进口大豆 3 744 万吨，2007 年中国进口大豆 3 084 万吨，国内大豆年产量是 1 480 万吨，这些说明了什么？

在暗地里嘲笑别人不为眼前利益锦上添花的时候，我们的未来正面对致命的危机。

> 在暗地里嘲笑别人不为眼前利益锦上添花的时候，我们的未来正面对致命的危机。

美国总统奥巴马在 2010 年月 11 月 5 日到 9 日访问印度，这是奥巴马先生上任总统以来的第一次印度之行。印度在这期间将向美国采购总金额可能高达 120 亿美元的军事装备。这个巨额的军火销售协议，包括购买 10 架大型军用运输机 C-17 的销售合同，涉及金额高达 58 亿美元。C-17 "全球霸王" 军用运输机作为美国战略运输的经典机型，将迅速提升印度军队的快速投放能力。这笔交易标志着美国、印度军火贸易全面展开，以前印度军队 70% 的装备都来自前苏联地区。随着美国军事装备的大规模渗透，印度军队不可避免地需要最终统一装备标准。特别是近几年来印度的军费预算年增长都高达 30%。据印度国防部报告披露，近年来，印度每年仅购买国外先进武器的开支就高达 60 多亿美元。在未来的几年内，为了加快军事系统现代化改造步伐，印度还计划进一步大量购买国外先进武器装备，印度已经成为世界最大的武器进口国。印度陆海空三军在 2012 年前将斥资 300 亿美元从国外采购先进武器，其中空军将采购

126架外国先进的战斗机，海军将购买俄罗斯航母及舰载武器，陆军计划采购更多的先进主战坦克和反坦克导弹等武器装备。作为一个发展中的经济还比较落后的国家，为什么会投入如此巨大的资源到军事扩张中呢？如果我们能站在印度未来对世界植物油和石油的巨大需求角度来看，就会非常明白中国与印度在世界植物油分配中，可能需要的应急准备。经济利益的换位思考法，便于我们看清世界经济政策的改变原因。奥巴马传递给我们美印关系在拉近的信号，在我们的未来投资中，是不能被忽视的又一信号。

美国农业在2010年净收入增长24%，在历史上排名第四，远远高于过去10年的平均水平。美国农业部曾把2010财年的农产品出口预测数值上调至1 075亿美元，为历史第二，预计2010年美国农业贸易顺差为305亿美元。美国的农业已经控制了全球农产品出口市场的一半以上。更可怕的是，随着全球人口规模的结构性加速上升，未来30年或50年全球粮食产量必须增长70%以上，在这场人类史无前例的粮食需求的提速上升中，全球只有美国这个国家才拥有大量富余的农田。未来全球加速增长的粮食供给的60%需要依靠美国这个我们现在认为衰弱的国家提供。以今天的大豆价格计算，未来20年后美国的农产品出口将高达5 000亿美元。如果未来20年美国人因为战略需要想让大豆价格上涨10倍，那美国的农产品出口将高达5万亿美元，世界未来的货币就将回归到农业货币时代，但此货币已不是农业社会时代的农耕农业货币，而是全球化下拥有最高控制权和统治地位的"生存农业货币"，这是不可抗拒的世界性结构大趋势。更重要的问题是，现在中国和印度农业对水资源的消耗已高达本国水资源消耗的70%以上，而美国只有30%。在中国和印度共同学习和实践美国的工业化农业体系后，我们最终将面对大规模向美国购买粮食的情况。

2007年中国股市四五千点时，我提出美国的宏观战略是——2008年年底让中国股市跌到2 000点，2008年年底让中国房产暴涨。当时，许多中国人认为我是危言耸听。如果你是保证美国长期繁荣的大战略家，当你认定未来去创造"农业货币时代"的伟大意义时，你会去做什么？你一定会去破坏对手的经济结构，消灭对手的农业耕地。

今天，我们见证了全中国所有的资本在 2009 年和 2010 年疯狂冲入房地产市场，这背后大量中国农业耕地史无前例地被破坏。美国的华尔街让中国在 2009 年和 2010 年加速损失了最宝贵的大量农田。这就是我们最看不起的美国金融创新。2010 年，全球棉花为什么涨得最疯狂和最火暴？从 2009 年 7 月份中国郑州交易所棉花走势开始看起，再结合 2009 年 7 月中国新疆发生的暴力事件，得出了什么？新疆是中国棉花的主要供应基地，所以有人早就在资本市场布置好了。全球化是眼睛看不到而只有大脑才看得到的战场。

结构决定一切。我们中国现在的居民消费只占到 GDP 的 35%，所以维持我们的经济运转最终必定靠政府大量财政赤字去推动，而政府大量财政赤字推动所付出的代价必定是再损失大量宝贵农田和私人部门的劳动生产率。这样早期结构性通货膨胀就形成了。而中期是经济学家和房地产商人"同穿一条裤子"，以通货膨胀上升来保护资产泡沫。随着通货膨胀的加速失控，我们又必定是牺牲资产泡沫来控制通货膨胀。中国中央银行已经发出警告，要警惕通货膨胀和资产泡沫的风险。这是一个严重对立的宏观问题，即要么牺牲资产泡沫来控制通货膨胀，要么让通货膨胀上升来保护资产泡沫。经济学家厉以宁先生近期谈中国应该大幅提高通货膨胀的警戒线至 4.5%。中国 2010 年 8 月份 CPI（消费者物价指数）是 3.5%，9 月份是 3.6%，中国定的通货膨胀警戒线是 3%。通货膨胀的问题初期是隐形的结构性问题，中期是宏观政策问题。而大幅提高通货膨胀的警戒线，只能说明中国将进入通货膨胀晚期，通货膨胀晚期则很可能导致社会失控。

阿根廷过去和今天一直是全球农业供应的重要基地。1850 年，人们非常犹豫不决的是，选择移民未经开垦的新大陆美国，还是美丽、风景宜人、富饶的阿根廷。对今天的大部分中国人来说，经济的评价标准取决于经济增长速度。但是，对于美国中央银行或犹太人的思维方式，经济的评价标准取决于通货膨胀。1900 年，美国经济已经开始呈现新兴强大国家的态势，长时期稳定的低通货膨胀开始加速提升美国经济的核心竞争力。但是，1900 年被高通货膨胀长期折磨的阿根廷经济，已经开始沦为三流国家。

今天，中国最大的也是全球市值最大的银行工商银行在 2008 年世界金融危机爆发后的信贷宽松期间，向中国地方政府放贷 6 400 亿元人民币。同时，中国工商银行董事长姜建清在接受英国《金融时报》采访时承认，向中国地方政府控制的开发公司无节制地放贷，确实对中国经济构成一定的风险，但这些贷款对中国的银行体系并不构成危险。

这些无力还债的中国地方开发公司，目前在工行的贷款账目上占 10% 的比重。并且 2008 年全球金融危机爆发后，中国各银行差不多将放贷活动翻了一番。

"人们关注的这个问题是重要的，我们应当对由此产生的风险保持警觉，"中国工商银行董事长姜建清表示，"但我不相信这个问题对中国的银行体系构成了系统性风险。"他补充说："我的信念是，不出 3 年，我们就能顺利解决这个问题。3 年内我们希望放贷完全恢复到正常（危机前的水平）。"

因为中国的地方政府不得发售债券或直接向银行借款，因此近年来，它们设立了数以千计称为"地方政府融资平台"的开发公司，为基础设施和房产项目筹资。目前，这个体系储备了近 10 万亿人民币借贷。这种"先放贷，然后清理乱局"，完全可以称为人类经济史中的"中国金融创新"。

工商银行董事长姜建清辩称，在对地方政府融资平台的放贷中，不良贷款率不到 0.3%。他预期，中国工业银行向这些平台贷出的 6 400 亿元人民币中，20% 到 2011 年底将得到偿还。"过去几十年期间，国外有不少预言家预测中国经济将出现危机，但这些都从未成真，事实和现实每次都证明这些预言家错了，但他们继续热衷于作出各种预测。"中国农业银行董事长项俊波在另一个场合也呼应了中国工商银行董事长姜建清的看法。

首先，从哲学视角来看——任何不好的事情，也都必然有生长的过程，而越不好的事情，其生长的过程就越发长久。这就好比，一个靠打兴奋剂的运动员，必然会有一段非常辉煌的运动成绩，但是其最终宿命，必然是某一天瞬间崩盘。经济中的兴奋剂就是通货膨胀，2011 年 4 月，中国通货膨胀率开始突破5%。2000 年到 2008 年中国基础货币的供应平均高达 18%，2009 年到 2010 年上升到疯狂的 30%。现在，中国中央银行雄心勃勃地要把中国基础货币供应控制在 15%，而这样的话，突然失去了"兴奋剂"的中国工商银行和中国地方政府债务会怎么样？

举个例子，种棉花一亩地一年收入约 3 000 元人民币。如果把这一亩棉花地卖给房地产商，可卖 30 万元人民币，然后，这个房地产商再在这一亩地上盖楼，使之变为 2 000 万元人民币，再卖给一大群中国"房奴"。这样，我们就见到了经济史上最神奇的经济快速发展模式。中国这个最神奇的经济模式的成功需要大量的人和大量的土地，而中国是全球第一人口大国，有 13 亿人；同时，中国土地面积全球排名第三，有 960 万平方公里。因此必须注意到，在中国没有耗尽"房奴"和中国土地资源时，中国经济发展都将是宏大而惊人的。但是，这个最神奇的经济模式的根本问题是，每年都必须创造出比上一年还多的"房奴"，每年都必须创造出比上一年还多的土地供应，每年都必须创造出比上一年还多的基础货币供应，并且，随着房价的加速度上升，必须创造的"房奴"、土地供应和货币供应数量也必须出现快速上升。

早在 2005 年，芝加哥大学金融学教授拉古拉姆就指出，全球银行家和交易员的薪酬制度，必将鼓励他们选择风险高的交易机会和扩大资产杠杆比例，这将导致世界金融体系变得非常脆弱。同样，由于今天中国地方政府和中国银行业的薪酬制度，他们已经选择了不负责任地扩大资产杠杆比例和高风险扩张。现在的问题是，中国的通货膨胀预期来了。2011年3月，中国人用一天时间抢光了超市里的盐，上海居民抢光了超市里的洗衣粉、护发素。盐、洗衣粉和护发素在今天的中国是严重过剩的产品，所以，盐、洗衣粉和护发素的"闹剧"迅速平息。那么，这场"闹剧"会演变出什么呢？

2001年新年，如果你断言全球农业供应大国阿根廷将出现粮食饥荒，肯定得到全世界人们一致的回答：这是荒谬的妄想。2001年7月，美元兑阿根廷货币比索为100美元兑101.5比索，这说明阿根廷货币出现1.5%的贬值，因为当时阿根廷中央银行承诺是100阿根廷比索兑换100美元。阿根廷货币1.5%的贬值，直接造成阿根廷比索隔夜拆借利率暴涨到50%。理论上，这个时候阿根廷中央银行应该向市场注入货币，来挽救暴跌的阿根廷股市和楼市，因为加速度暴跌的阿根廷股市和楼市会严重加剧恶化阿根廷经济，此时市场对阿根廷中央银行管理通货膨胀充满怀疑，大量货币开始逃离阿根廷市场，结果阿根廷中央银行只能被市场"驱赶着"大力紧缩阿根廷货币。这时，阿根廷经济事实上已经开始加速破产了。因为资本外逃是在紧缩阿根廷货币市场，而阿根廷中央银行却不能向市场释放货币，只能进一步被动参与紧缩阿根廷市场货币，这种"双重紧缩"对经济体系是最致命的。而"双重紧缩"的形成100%是中央银行管理通货膨胀预期的失败。

2001年7月底，阿根廷股市和楼市继续暴跌，阿根廷一些银行把隔夜拆借利率提高到350%。阿根廷经济被动陷入恶性通货紧缩，政府税收恶化，企业大规模破产。进入2001年8月，阿根廷政府继续坚决承诺100阿根廷比索兑换100美元政策不会变化。可是，阿根廷经济已经陷入严重衰退，使资本外逃加剧，中央银行货币紧缩加剧，经济进一步严重衰退，这又进一步加剧了资本外逃，使中央银行进一步货币紧缩。2001 年 12 月 31 日，阿根廷政府实施"存款半冻结"政策，每个储蓄者，无论有多少个账户，每周只能取 250 比索。公布即日，阿根廷黑市即 100 美元兑换 140 阿根廷比索，阿根廷中央银行 100 阿根廷比索兑换 100 美元只是"不准交易的价格"。大量资金开始疯狂抢购阿根廷市场的所有商品。随后，阿根廷中央银行放开外汇市场交易，阿根廷比索崩盘。仅 3 个月时间，2002 年 3 月，阿根廷中央银行官方汇率是 400 阿根廷比索兑换 100 美元。阿根廷国内美元存款者，美元全部冻结，全部按照 140 阿根廷比索兑换 100 美元来兑换成阿根廷比索。同时，储蓄账户全面兑换成政府长期债券。这个时候，没有任何一个农场主愿意用农产品来交换阿根廷货币。这样，有大量阿根廷货币的人们无法购买到食品，全球最富裕的农业大国开始爆发粮食饥荒。

对于我们中国现在的情况，美国华尔街研究得清清楚楚。等我们必须牺牲资产泡沫来控制通货膨胀时，中国经济、股市和房价将史无前例地大暴跌。

2010 年已经过去了。2010 年对未来的全球经济来说是一场伟大开拓史的前夜。2010 年年初，我们开始谈论欧元主权债务危机。2010 年年末，我们开始面对中国央行史无前例的反通货膨胀政策。2010 年，全球两大货币——欧元和人民币都不约而同地陷入长期结构性调整中。全球经济在 2008 年 10 月开始踏上"中速通货膨胀"到"再次大萧条"到"高速增长"的结构性趋势旅程。而中国经济在 2008 年 10 月开始踏上"中速通货膨胀"到"再次大萧条"到"恶性通货膨胀"的结构性趋势旅程。这是宏观结构性趋势，哪个国家和民族在上面的宏观结构性趋势中进行有效准备，哪个国家和民族就是未来全球经济伟大的胜利者。2010 年年末，中国经济开始进入"中速通货膨胀"，而美国经济是"低速通货紧缩"。

在 2010 年 8 月底，我提出全球将加速进入"农产品货币时代"。2010 年 9 月开始，中国棉花每吨从 17 500 元涨到现在每吨 28 300 元；2010 年 9 月开始，中国糖从每吨 5 500 元涨到现在每吨 7 000 元。2007 年中国股市 6 000 点时，中国货币政策的紧缩让中国经济从通货膨胀跳进恶性大萧条中，同时，也加速了世界性大萧条的爆发。这是我们第一次经历从"中速通货膨胀"到"恶性大萧条"的过程。

如今我们正在第二次经历从"中速通货膨胀"到"恶性大萧条"的过程。这个过程就像 1997 年东盟地区危机一样，货币上升和楼市的恶性上升后，东盟地区经济进入"中速通货膨胀"到"恶性大萧条"再到"恶性通货膨胀"结构性趋势。

2011 年美国经济增长速度将达到 3.5%，2012 年美国经济增长的速度将达到 4.5%。现在，全球两大货币——欧元和人民币陷入长期结构性调整，将推动 2015 年美国经济的增长速度达到 6% 以上。2010 年末，中国通货膨胀的上升已成为美元时代来临的基石。《被绑架的中国经济》一书系统性地从金融交易体系对此给予了解答。

今天，人类历史开始进入伟大的金融控制时代，我们却无法从现在全球金融体系的新交易体系去理解全球经济并参与全球化，更可悲的是，我们还在被美国"30 年代的经济思想"统治着。美国的华尔街永远不会告诉我们"全球金融体系的新交易体系"经济学价值，这是美国金融全球化的美国财富。

我现在唯一的工作，就是告诉中国人——"全球金融体系的新交易体系"经济学的价值。

现在，我们的经济学家们还在嘲笑美国许多地区的图书馆因缺钱而无法正常运转。然而，2011~2013 年，美国将全速进入 4G 时代；2020 年美国将全速进入 7G 时代。2020~2030 年，美国将大规模消灭图书馆，届时，美国几千万中小学生包括大学生将通过 7G 和苹果平板电脑获得全世界所有的图书内容。现在，如果一个美国人每周去图书馆的路程程需要耗时 15 分钟，那未来，一亿个美国人都会节约消耗在图书馆道路上的这 15 分钟。这就是人类进步的源泉。现在，美国不需要耗费 10 年时间，就可以告诉大家，豪华图书馆是落后的标志。

请问，美国谷歌为什么从中国市场退出？是中国百度技术创新成功吗？想必不是，因为从技术创新层面，谷歌是超越百度的。

今天的全球化最终将是一种高强度的人才储备对抗。一个普通人必须通过无数的信息进化，才能成为今天全球化所需要的人才，而这个人储备大量意识形态的最佳时间是 20~30 年。一个人一年读懂 100 本好书，从生理、体能上说，这个人已经是非常辛苦了，而他一生最佳的进化时段也就最多读懂 3 000 本书。全球的好书岂止几万本，要看完并读懂这些书，对美国人、中国人、日本人、德国人来说都是不可能做到的，所以真正的比拼，也就在这 2 000~3 000 本书上。而信息的真实、前沿是一个国家的最高使命和责任。

美国谷歌、苹果、Facebook 在全力用技术创新节约美国人获取知识的成本和社会配置的成本，它们为每个美国人每天节约 1 分钟，2 亿个美国人一天是 2 亿分钟，这是一笔巨大的财富。

全球第三次大萧条在轰轰烈烈的抗通胀中爆发

中国资本市场全力抗通胀

2011年上半年，中国通货膨胀突破5%，并且还在上升。对于任何事物，很多人都喜欢不能自控地跟着表象思维走。为什么2011年上半年全球新兴国家普遍性地通货膨胀上升？这主要是因为在全球经济增长中，新兴国家过于勇敢地背负了大规模政府财政赤字；其次，新兴国家尤其是中国地区中低收入家庭工资收入严重偏低，而政府收入和支出又严重偏高，这一对矛盾在经济运行中不可调和。

2010年中国财政支出达到8.9万亿，比年初预计数84 530亿超了近5 000亿。在2011年，中国财政支出预计将达到97 910亿(包括9 000亿的赤字)，支出接近10万亿，此数字比2010年预算支出多了13 000亿(如图28)。

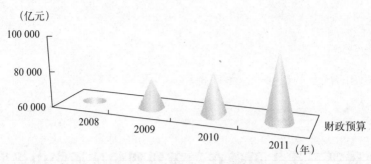

图28 2008~2011中国财政支出

面对如此剧增的惠民支出，我们唯一感受到的却是猛烈袭来的物价上涨和收入增长滞后造成的生存压力。

近年来，中国央企经营业绩最好的是2007年，当年央企利润达9 968.5亿，创历史新高。2010年央企利润超过万亿。这意味着央企利润又创历史新高。2009年，央企实现利润7 977.2亿元。央企垄断着优势资源行业——石油、化工、煤炭、电信……如此优势，在央行为市场大量注入流动性创新高的时候，央企的业绩也必然创新高。2010年央企利润超过万亿实际是很"保守"的数字。毋庸置疑，中国财政将在2011年加速体现 "政府收入的有限性和支出的无限性的矛盾"。同时，中国国企也将在2011年加速推进中国地区通货膨胀的爆发。而中国央企经营业绩最好的2007年和2010年，中国市场却是通货膨胀加速上升的时期，所以，中国央企的利润是中国地区劳动生产率恶化的体现，并且这种状况也被通货膨胀充分体现出来。

为了增加政府收入，2010年年末，中国正式开始对外商投资企业(含合资企业)、外国企业及外籍个人征收1%~7%的城市维护建设税及3%的教育附加费。在金融危机中欧美市场萎缩，中国的汽车企业大规模扩张，而中国的加税对跨国汽车企业而言是个意外打击。"两税"这个程咬金的突然杀出，最终还会推高借贷成本，推升大萧条。摩根大通测算后发布报告："两税"政策将给合资汽车企业2011年的盈利带来7%~17%的负面影响。在"两税"政策实施后，全行业预计给中央财政送来数百亿税收收入，但同时带来的一个严重问题是，汽车产能刚刚进行的巨大扩张受到调控，导致的连锁反应是，扩张停滞，引发大萧条。

目前中国的汽车制造业一直是高税产业。2010年8月发布的《国务院国资委2009年回顾》显示，中国近年来国家税收出现了超常增长。而在高税负行业的名单中，汽车制造业位居前列。多家在中国市场因为"超国民待遇"而占便宜的跨国公司如今被一视同仁了，如何想尽办法弥补"两税"征收后给企业利润带来的损失，是2011年跨国公司高层管理者的问题。

自2011年1月1日起，对1.6升及以下排量乘用车统一按10%的税率征收车辆购置税。鼓励政策退出，车船税上调，进一步加大了中国汽车消费者的纳税负担。在本应该刺激消费的时刻，通胀来源于中石油而不是百姓消费，事实上，应该刺激百姓的消费，直到最终跨越长时间的产能过剩时期，这时我们才可以勇敢地去反击通货膨胀。

与此同时，中国市场一年一万亿的融资和全球股市跌幅第三集于一身！根据WIND数据，截至2010年12月30日，中国A股融资额达到10 067.27亿元，与一级市场全面丰收相比，二级市场则下跌惨重。2010年过去了，上证指数在242个交易日结束时下跌14.31%，其经历了2009年大幅上涨后，2010年全年震荡下跌——6月下探到2 319点后企稳，11月上攻到3 186点后回落，到12月31日收于2 808.08点（如图29）。

这一组"非常吉祥"的数字意味着A股位于全球股市跌幅榜第三，仅次于受欧洲债务危机拖累的希腊雅典ASE综合指数和西班牙IBEX35指数，两者至2010年12月29日分别下跌了34.97%和16.4%（如图30）。

农行IPO、多家大银行再融资、众多中小企业三高发行，共同组成了2010年A股市场的万亿融资总额。而且，在4 921亿元IPO融资额度里，至少有2 000多亿元是超募资金，这意味着近一半的资金配置没有达到最优。2011年

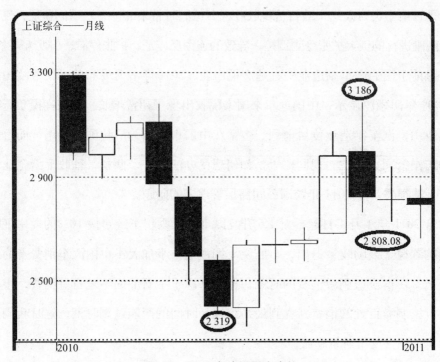

图29　2010年中国股市走势

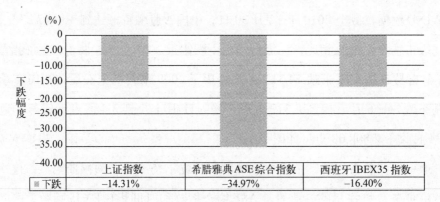

图30　2010年中国和欧洲债务危机国家指数下跌

的融资格局难有改观，IPO节奏可能依旧。根据WIND数据，截至2010年12月
30日，A股融资额达10 067.27亿，其中IPO融资4 921亿，增发融资3 708亿，
配股融资1 438亿。2010年A股融资额创出历史新高，几乎是2009年总额的两

202

倍，同时也远超 2007 年的融资额高点 7 986 亿。2 010 年实际交易日有 242 天，上市新股 349 只，实施增发股票 164 家，配股 18 家，平均每个交易日有近 1.5 只新股发行，股市实在不堪重负。

根据全球数据供应商 Dealogic 的数据显示，按地区来看，美国市场 2010 年 IPO 所得资金为 420 亿美元，相比之下，沪深两市 IPO 募集资金累计 669 亿美元，位居全球之首。如此巨额的融资是如何实现的呢？2010 年一级市场的故事让人印象深刻，一边是几大银行大手笔融资，一边是中小企业的上市创富和超募。2010 年上半年，中国农业银行通过 A+H 股发行，融资规模约 1 500 亿元，其中 A 股融资 685.3 亿；下半年光大银行也通过 IPO 融资 217 亿元。2010 年 7 月 15 日农行上市当日，上证指数大跌 1.87%，其后 7 个交易日连收阳线，可见农行等"大鳄"IPO 对投资者心理的冲击。2010 年，沪市融资总额为 5 653 亿，远超 2009 年的 3 372 亿，其中 IPO 融资 1 900 亿，再融资 3 753 亿，沪市再融资额超过了深市 IPO 融资总额，深市 3 022 亿 IPO 融资是 321 家登陆中小板、创业板的上市公司共同打造的。

通过数据分析发现，沪市再融资额度基本都是来自银行的。其中，中国银行通过配股、发行可转债等方式融资 1 000 亿元，工行、建行通过资本市场累计融资达 1 450 亿元，浦发银行的增发也融资 396 亿元。除了各大银行的大手笔融资，中小企业登陆中小板、创业板引发了一系列的创富故事。根据 WIND 数据，2010 年共有 349 家企业 IPO，其中登陆深交所的有 321 家。

2010 年，中国一级市场的创富故事激情上演，同时二级市场则为 7 成投资者亏损的局面。更可怕的是，2010 年如此巨大的募集资金，将对中国 2011 年通货膨胀的资金过剩提供失控的巨大能量。同时，中国 2011 年"政府收入的有限性和支出的无限性的矛盾"，也将是通货膨胀的重要原因。

2010 年年末，中国通货膨胀愈演愈烈。美国财政部 2010 年 12 月 21 日发

布的年度财政报告显示，截至 9 月 30 日的 2010 财年中，由于美国政府借债
及联邦政府雇员和退伍军人津贴支出增加的规模远超收入增长，美国联邦政府
的财政赤字再增 2 万亿美元至 13.473 万亿美元。数据显示，截至 2010 财年年
底，美国联邦政府持有约 2.9 万亿美元资产和 16.4 万亿美元负债。美国联邦政
府该财年现金预算赤字虽然由 2009 财年的 1.417 万亿美元收窄至 1.294 万亿美
元，但鉴于奥巴马 12 月初刚刚签署了总额 8 580 亿美元的减税法案，2011 财年
和 2012 财年的政府现金预算赤字水平，仍将超过 1 万亿美元规模。同时，值得
注意的是，美联储与欧洲央行等 5 家西方主要央行将货币互换协议期限延长至
2011 年 8 月份。

　　2011 年 6 月，中国有没有通货膨胀呢？这个问题，对于 2011 年 6 月的中国
中央银行、中国经济学家、中国媒体和中国社会，肯定是一个无须讨论的问题，
因为，2011 年 5 月中国通货膨胀率是 5.5%。5% 的通货膨胀率在经济发展中已
经是很严重的通货膨胀了，那我为什么还要在这里谈论中国现在有没有通货膨
胀呢？这就是本书要面对的一个很重要的"矛盾"论题：从表象上看，中国中
产阶层与中国低收入阶层正在被中国高企的通货膨胀严重折磨着，但是本书一
个重要的观点是中国现在没有通货膨胀！

　　中国中央银行现在津津乐道的是，新兴国家普遍都处在水深火热的通货膨
胀中，印度的通货膨胀率更是突破 10% 了，所以中国对于通货膨胀的控制还
是可圈可点的。我们不能不去思考，中国中央银行是在自欺欺人，还是在愚弄我
们？印度的居民消费占印度经济规模的 60%，而中国居民消费只占中国经济规模的
32%。也就是说，当前中国大部分居民是没有能力进行高消费的，一个国家大部分
人进入"非正常节约状态"，那么这个国家为什么还会产生通货膨胀的问题呢？

　　中国人民银行副行长、国家外汇管理局局长易纲 2011 年 2 月 26 日在北京
大学国家发展研究院"中国经济观察"第 24 次报告会上指出，当前中国国际收

支不平衡问题比较突出，主要矛盾已由外汇短缺转为贸易顺差过大，而经常项目的顺差是目前我国通货膨胀的源头。由于经常项目贸易顺差过大，使得人民币升值压力较大，为了保持人民币汇率相对稳定，央行必须购回美元，从而被迫投放基础货币，而较多的货币推高了物价上涨。

大家应该知道，中国外汇储备过多，在表现上是中国中央银行为了保持人民币汇率相对稳定，用大量人民币基础货币购买世界贸易盈余份额，所以，中国庞大的官方外汇储备只是中国向世界大量提供中国产品的计算方式。因此，中国大量贸易顺差本质上只是相对中国地区大量出现产能过剩或供给过剩的问题。如果中国每年 2 000 亿美元的贸易顺差产品全部倾销到中国地区，那中国是不是天天只能面对物价下跌？

因此，我们应该注意到在中国的高通货膨胀年 2007 年，中国贸易盈余是 2 622 亿美元，创出历史新高，较 2006 年中国 1 775 亿美元的盈余水平增长高达 48%。同时，中国国企利润首次突破 1 万亿元人民币。也就是说，2007 年中国向海外倾销了高达 2 622 亿美元商品，而如果这 2 622 亿美元商品在中国国内倾销，那中国国内所有商品的价格必定是大暴跌。这说明，2007 年中国居民消费能力实际是非常弱的。2007 年下半年，中国中央银行如火如荼地疯狂"反击"通货膨胀。2007 年下半年中国股市四五千点时，笔者断言中国无通货膨胀问题，此时中国要做的是必须迅速把中国国企全部市场化，否则中央银行反击通货膨胀的行为就是在人为制造世界的大萧条。结果，2008 年在中国高歌猛进地抗击通货膨胀乐曲中，全球经济也加速陷入世界性大萧条。

2010 年中国市场出现消费浪潮，中国房地产市场销售创历史纪录，突破 5 万亿人民币，同比增长 20%；2010 年中国汽车市场创出世界历史纪录，销售突破 1 800 万辆。但是，2010 年中国贸易盈余还是高达可怕的 1 845 亿美元。同时，中国国企 2010 年利润更是创出历史最高纪录。2010 年中国社会的消费浪潮主要来自于 2009~2010 年中国房地产市场价格创世界纪录地上升了 100%，这意味着 2009~2010 年中国房地产市场一年间创造了 40 万亿的人民币"财富"，中国居民消费的大部分依靠的是自己房产增值产生的财富信用支出。

我们必须了解，只有居民消费占到经济规模的 60%以上，同时经济体必须长期拥有占自身经济体规模 3%的贸易逆差，这样才具备产生结构性通货膨胀的基本条件。

所以，我们必须了解中国居民消费能力严重结构性低下，中国居民消费从经济理论和实际数据上看，根本不具备构成通货膨胀因素的必要条件，而抗击通货膨胀的努力是在制造结构性大萧条和恶性通货紧缩的必要条件。

中国房地产和外汇储备的战场

中国二线城市已经成为中国房地产主要战场。重庆、南京和武汉等城市的发展速度开始超过北京和上海，这些城市庞大的地方政府债务成为导致当地房地产市场火暴的主要来源。但是，中国二线城市的住宅建设正在导致住宅存量供应过剩以及未来居民收入增长乏力——这两个现象都将对开发商的利润率造成下行压力。在中国一线城市的房地产商大量进入二线城市，二线城市政府大规模扩张以及大量一线城市备受通货膨胀折磨的人们迁移至二线城市的这一时期中，房地产供应过剩对当地人来说是一个"笑话"。

有关供应过剩这一点，可以通过统计住宅存量，然后除以需求，算出 2009~2010 年里建成的住宅需要多长时间才能售完。

在毗邻香港从零起步的中国的繁荣城市深圳，住宅储备应该只需一年便能售完——是调查中售罄速度最快的城市。但在东北部的另一个港口城市大连，这个数字是 7.5 年，武汉则需多达 8 年。武汉、沈阳、济南、长春、太原、合肥、长沙、海口、重庆和天津正在成为房地产供应过剩的城市。

关于地价泡沫的计算也很简单——就是中国通货膨胀的上升，因为中国中央银行要把基础货币增长从 2010 年的 30%降到 2011 年的 15%。

2010 年，中国国有土地有偿出让收入近 3 万亿人民币，比 2009 年增长 106.2%。中国土地出让收入的增长主要在于中国土地供应规模大幅度提高。在城镇化、工业化进程加快的大背景下，中国国土管理部门 2010 年审核批准的土地供应量比 2009 年有大幅度增加。2010 年中国土地供应总量达到 42.82 万公顷，同比增长 34.2%。同时，中国地价总体水平大幅上升又是一个重要的原因。而从这份中国地方政府收入中，我们可以看到，中国经济最神奇的土地经济模式开始衰败了。

以上海、北京和深圳三地为例，2010 年 4 月，北京可售新盘面积 1 171.5 万平方米，深圳 341.5 万平方米，上海 482.7 万平方米；2010 年 9 月，北京可售新盘面积 1 256.4 万平方米，深圳 366.7 万平方米，上海 619.8 万平方米；2010 年 12 月，北京可售新盘面积 1 332.4 万平方米，深圳 379.1 万平方米，上海 644.9 万平方米。中国楼市供给速度开始加速(如图 31)。

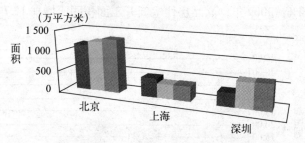

	北京（万平方米）	上海（万平方米）	深圳（万平方米）
■2010 年 4 月	1 171.5	482.7	341.5
■2010 年 9 月	1 256.4	619.8	366.7
■2010 年 12 月	1 332.4	644.9	379.1

图 31　可售新盘面积

2004 年，中国土地购置面积同比增加 5.4%；2005 年，土地购置面积同比减 4.0%；2006 年，土地购置面积同比减 3.8%；2007 年，土地购置面积同比增加 11%；2008 年，土地购置面积同比减 8.6%；2009 年，土地购置面积同比减 18.9%；2010 年，土地购置面积同比增加 28.4%。

从土地供给环节分析，这么多年来，2007 年和 2010 年是唯一两次土地供给大幅增加的年份，尤其 2010 年的供应量最为可观（如图 32）。

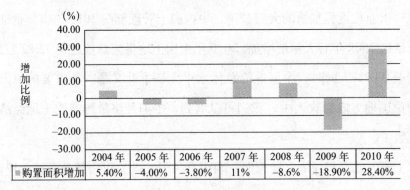

	2004 年	2005 年	2006 年	2007 年	2008 年	2009 年	2010 年
购置面积增加	5.40%	−4.00%	−3.80%	11%	−8.6%	−18.90%	28.40%

图 32　购置面积增加

2004 年，商品房住宅新开工面积同比增加 9.78%；2005 年，商品房住宅新开工面积同比增加 12.69%；2006 年，商品房住宅新开工面积同比增加 17.64%；2007 年，商品房住宅新开工面积同比增加 22.92%；2008 年，商品房住宅新开工面积同比增加 2.24%；2009 年，商品房住宅新开工面积同比增加 15.74%（如图 33）；

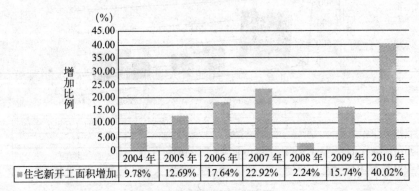

	2004 年	2005 年	2006 年	2007 年	2008 年	2009 年	2010 年
住宅新开工面积增加	9.78%	12.69%	17.64%	22.92%	2.24%	15.74%	40.02%

图 33　住宅新开工面积增加

2010 年，商品房住宅新开工面积同比增加 40.02%（如图 33）。2010 年新开工面积和土地供给创历史新高，并且大幅高于历史同期水平。同时， 2010 年保障房供应是 580 万套，2011 年将达到 1 000 万套（如图 34）。

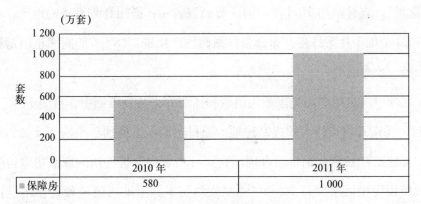

图 34　保障房供应

　　也就是说，在限购和限贷政策不变的情况下，2011 年中国楼房总供给开始大幅加速增加，而中国楼市总需求还将持续萎缩。

　　2011 年的夏天来了，但中国房地产商人的资金寒冬才刚刚开始，随着严厉的中国房地产调控政策持续运行，从银行获得开发贷款变得更加困难。万科年报显示万科 2010 年销售额 1 081.6 亿元，成为国内首家销售额突破 1 000 亿元的房地产企业，归属上市公司股东的净利润 72.8 亿元，较 2009 年增长 36.65%；中国保利地产年报显示，2010 年上市公司实现净利润达 50 亿元，同比增长 4 成。2010 年良好的销售情况，给大部分中国房地产商人带来了稳定的资金流。但是，在外表美丽的财务数字背后，伴随着大量中国房地产商人的却是经营性现金流大幅度下降的"噩梦"。根据目前已公开的 13 家上市地产企业年报显示，尽管净利润达 81.4 亿元，同比上升 41.08%，但经营性现金流同比却下降 1 777.61%。还有，中国房地产商 2010 年土地购置面积同比增加 28.4% 的购买资金，其中 70% 还未付给中国地方政府。

　　住房限购措施加上更高的抵押贷款利率，使 2011 年前几个月新房销售量比 2010 年四季度下降 40%~60%。而多数中国房地产商 95% 的现金流全都来自住房销售。更重要的是，大量原本有意涉足中国房地产领域的上市公司打算远离"是非之地"。吉林制药 2011 年 3 月 7 日公告表示：撤出计划投资的地产；*ST 博通在 2011 年 3 月 5 日亦发布公告称撤回地产投资；*ST 万鸿同样也因房地产政策调控，放弃地产。

　　在这场中国房地产历史上最为迅速和猛烈的交易量压制中，自 2011 年 3 月 26 日起，北京开始实行大幅提高房地产项目土地增值税预征率的新政策。根据规定，房地产开发企业销售新办理预售许可和现房销售确认的商品房取得的收入，按照预计增值率实行 2%~5% 的幅度预征率。土地增值税预征率由之前的 1%~2% 提高到 2%~5%，严重削弱了房地产商人的囤地能力。部分高价项目涨价可能最高出现每平方米上千元的土地增值税，另一方面，也可能使得部分土地价格过低的项目开始出现明显的降价求售现象。

　　目前开始到 2011 年年底，加上保障性房产，中国房地产市场将突然面对增长 200% 以上的"商品房+保障性住房"的供给量。同时，中国地方政府为了保住现在近 10 万亿人民币地方债务不出问题，到 2012 年年底，必须按照 2010 年年底土地价格出售不低于 100 万公顷土地。现在的问题是，一线、二线和三线城市的优质土地在 2009~2010 年基本都卖光了，也就是未来抛售的劣质土地价格必定下降，这样，劣质土地价格必定只能靠扩大销售量来弥补，因此，到 2012 年年底，中国地方政府实际会向市场抛售 140 万~150 万公顷土地。这一土地抛售量将超过 2001~2007 年的中国土地供应量总和。

　　世界银行经济学家汉斯·蒂默 2011 年 3 月 29 日表示，中国市场正眼睁睁地看着房地产的崩溃，而一旦崩溃，各种新的问题将接踵而至。若中国央行为达到某一通胀率水平而突然收紧货币政策，中国资产市场将陷入困境。目前的情况需要引起注意，物价上涨给正在努力阻止资产膨胀的中国政府带来了新的困难。一旦市场泡沫破裂，将会引起大量金融和经济问题。现在，大家都知道，中国房地产市场有一个非常重要的性能——"助涨"或"助跌"。在"助涨周期"中，中国地方政府债务上升，必定可以有极大动能推动中国房地产上升；如果进入"助跌周期"，中国地方政府为了保住自己不破产，会拼命向市场抛售土地，而引发中国房地产商和中国地方政府同步比拼大抛售。最终的结果是，中国房地产崩盘，进而引发中国银行业危机，引发大量资本外逃，再引发中国中央银行进一步紧缩货币政策，引发进一步的中国房地产商和中国地方政府加速同步比拼大抛售。

那现在，中国中央银行为什么会像世界银行经济学家汉斯·蒂默 2011 年 3 月 29 日表示的，眼睁睁看着房地产崩溃呢？

现在，我们看到中国二线城市与三线城市在 2009~2010 年新城建造的宏伟景象，即二线城市和三线城市的地方政府在远离旧城区的地方，重新建一个庞大的新城，然后把在旧城区的行政部门，如政府机构、法院、医院、长途汽车站等全部迁移到新城区。中国三线城市几乎是不通铁路的，乘坐长途汽车到三线城市后，在"新城区"下车，还要花费 20~30 元人民币出租车钱才能到旧城区。新城区的房子当地人基本买不起。诸多三线城市新城区现有楼盘的供应量，按照 2010 年最好时期的销量，再销售 6 年时间还是过剩。面对无人消费的超过剩楼盘，未来中国经济还可以似万里长城般岿然不动吗？

写到这里，大家应该明白了一个问题，那就是美国为什么极力呼吁中国人民币升值。

中国对美国贸易盈余在 2007 年创历史最高纪录，但也不过只占到美国经济规模的 1.8%，到 2010 年减少至不足美国经济规模的 0.7%。并且，中国对美国的贸易盈余极大地缓解了美国市场长期通货膨胀这个"头号"难题。现在中国是全球最大的制造业基地，所以当中国房地产市场出现问题时，理论上中国可以迅速通过人民币贬值10%~15%来解决问题。然而，美国极力呼吁中国人民币升值的时期，中国市场则必然会出现大量墨西哥式著名的Tesobonos[①]。我们再从金融市场看中国经济，届时中国中央银行需要通过人民币贬值10%~15%的唯一途径来解决问题，那中国市场就将成为全球经济史上最庞大和最残酷的墨西哥式著名的Tesobonos"快速死亡程序"大爆炸地区。现在，大家应该明白，美国极力呼吁中国人民币升值，是在中国市场大量布局Tesobonos"快速死亡程序"。

最终的唯一的问题就是中国经济的"最后防线"——中国官方外汇储备。

我们清楚地看到，2001年美元指数120的历史最高位时期，中国中央银行开始全力做多美元，持续做多至2008年美元指数暴跌到75处。2008年雷曼兄弟公司破产后，中国中央银行开始在美元指数历史最低位75大规模做空美元（如图35）。

图35　中国中央银行做多及做空美元

2001~2008年，中国中央银行全力做多美元的举动，事实已经证明是错误

---

① 墨西哥当局发行的一种面值以美元计价，但以比索支付收益的短期债券。——编者注

的。到 2011 年年初，在中国官方外汇储备达 3 万亿美元新高时，我们不应该再延续这样的思路。

现在，中国 3 万亿美元外汇储备分配如下——1.2 万亿是美元，2 000 亿由中投公司投资，1.4 万亿是非美元货币。1.2 万亿美元中，有 4 000 亿美元是美国"两房债券"。

我们来演习一下，如果美元出现大幅上涨，中国官方外汇储备的情况。

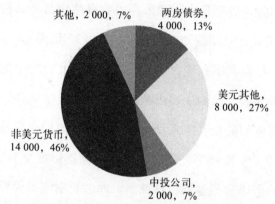

图 36　中国外汇储备组成（单位千亿美元）

美元出现大幅上涨后，中国 1.4 万亿非美元货币出现 40% 亏损；1.2 万亿美元中 4 000 亿美元"两房债券"是市场无法兑现的。也就是说，中国中央银行手上届时只有 8 000 千亿美元流动性。再扣除 5 000 亿美元短期负债，美元大幅上升后，中国中央银行手上最多只有 5 000 亿美元流动性。或许，到时 1.4 万亿非美元货币我们可以认赔 40% 出来。可是，到时全球市场处于做多美元的趋势中，即使我们想要认赔出来，这么巨大的天量止损盘怎么退得出来？除非我们按照亏损 70% 或亏损 80% 去认赔。所以，中国现在 3 万亿美元的"全部精锐部队"，实际是外强中干。

美国成功在中国市场大量布局墨西哥 Tesobonos 式的"快速死亡程序"后，包括即将到来的增长速度 200% 的中国"商品房+保障房"供给量，目前中国中央银行 3 万亿美元官方外汇储备中"美元现金流动性"能力只有 5 000 亿美元。

金融市场往往会出现一种"非理性"恐慌，这种非理性恐慌往往来自金融杠杆高强度放大或单一大型金融机构持有大量单一品种。1998 年美国大型对冲基金长期资本管理公司破产，当时长期资本管理公司持有的市场合约规模为 1 万亿美元。是长期资本管理公司持有了价值不合理的合约吗？事实上，这些合约都是有合理价值的。那为什么这些合理的合约在 1998 年却造成了长期资本管理公司破产呢？当时，长期资本管理公司主要有两个交易品种：互换利率利差交易，亏损 16 亿美元；股票波动幅度交易，亏损 13 亿美元。

大家要知道，互换利率利差合约和股票波动幅度合约中期和长期都是非常稳定的。长期资本管理公司的成员由两位诺贝尔经济学家获得者和美国华尔街顶级交易员构成。他们的交易体系没什么错误，但他们在交易量上犯了致命错误。因为他们成为了互换利率利差交易和股票波动幅度交易中主要的交易者。这样，其他所有的市场参与者都会预期到，如果长期资本管理公司开始平仓互换利率利差合约和股票波动合约的话，市场的波动必定是巨大的。所以当时市场的小散户都会开一张和长期资本管理公司对着干的合约。这样，我们看到，当时长期资本管理公司如果平仓，必定是"死路一条"；如果等待合理价格出现，那必须需要市场出现一个"救世主"买进长期资本管理公司手上的巨量合约。随着全球小散户不断大规模加入，互换利率利差合约和股票波动合约出现了严重的价值低估，而市场却进一步预期长期资本管理公司最终会开始"斩仓"，于是，就有更多的新散户加入到和长期资本管理公司对着干的游戏中。

今天，中国中央银行已经成为全球最大或唯一非美元货币的持有者，其持仓高达 1.4 万亿美元。这样，我们就会看到未来一场全球市场最大的"非理性"恐慌。首先，美国华尔街投入少量兵力做多美元，全球市场一部分小散户开始预期中国中央银行会在非美元货币上出现亏损，于是全球没有人做多非美元货币，随着进一步亏损开始，全球市场大量的小散户们会预期中国中央银行最终会"斩仓"非美元货币，这样，届时非美元货币不是用合理价值来定价，而是以中国中央银行"斩仓"非美元货币的价格来定价。

同时，不要忘了中国房地产市场非常重要的性能——"助跌"，中国地方政府和中国房地产商为了保住自己，会比谁"跑得快"，最终，中国中央银行将被迫全部"斩仓"非美元货币。这将是人类历史上最宏大、最残酷的"中国房地产＋中国地方政府债务＋中国官方外汇储备"的同步受损。为了更好地理解这一幕，你应该有一个物理思维框架。这就好比"核爆炸"，核爆炸是在几微秒的瞬间释放出大量能量的过程。为了便于和普通炸药比较，核武器的爆炸威力（即爆炸释放的能量）用释放相当能量的TNT炸药的重量表示，称为TNT当量。核反应释放的能量能使反应区介质温度升高到数千万开，压强增到几十亿大气压，成为高温高压等离子体。反应区产生的高温高压等离子体辐射X射线，同时同步向外迅猛膨胀并压缩弹体，使整个弹体也变成高温高压等离子体并向外迅猛膨胀，发出光辐射，接着形成冲击波向远处传播。所以，大家一定要理解同时同步的物理现象。同时同步在物理世界是"高能量大暴涨"，而在经济和金融世界是"大崩盘"。

国际评级机构惠誉的报告认为，中国在2013年年中之前，发生银行业危机的概率高达60%。对于这样的观点，中国银行业的高管们显然并不认同。中国银行董事长肖钢日前表示，未来几年不良贷款大幅增加的概率很小。中国银行业的财务数据，包括即将集中披露的2010年年度业绩，足以支持中国银行家们的观点——中国银行业净利润突破8 000亿元，不良贷款比率和余额降至历史新低。中国银行家的理论是：

第一，借款主体发生了变化。贷款沦为坏账的条件是借钱的企业资不抵债。虽然今天中国银行业的贷款和过去一样，主要流向了国有企业。但今天的国企

215

与十几年前已不可同日而语，一年利润超过万亿。

第二，中国政府财力依然充沛，预算赤字仅占GDP的2%（英、美都在10%），赖账的可能性很小。

第三，中国国有银行2010年的净资产收益率（ROE）平均超过20%，且净利润的40%以上用于现金派息，这两个水平既高于欧美的同行，也大大领先于绝大多数中国非金融国企。

第四，2007年，美国房屋抵押贷款债务是其GDP的103%，而中国家庭长期贷款额（衡量按揭贷款的指标）占GDP的比重为16%，即使算上地产商的贷款和地方政府投资工具的贷款份额，也仅占中国GDP的60%。

对上述观点，大家应该知道中国国有企业是推升中国通货膨胀的重要因素。2007年中国国企利润接近1万亿人民币，同时2007年是中国高通货膨胀时期。2010年中国国企利润突破1万亿人民币，2011年4月中国通货膨胀突破5%。这样，中国通货膨胀上升将开始威胁到中国银行业手上的两块优质资产，一块是房地产，一块是地方政府债务，因为中国基础货币供应要从增长30%，下降到增长15%。同时，大家知道中国房地产贷款和中国地方政府贷款属于同类型贷款。而中国预算赤字低，主要依靠大量卖地的收入，随着对卖地收入的依赖，优质土地必然严重减少，最终中国地方政府只能靠加大土地销售量来弥补巨额债务。所以，中国预算赤字由低向高的转化，不存在过渡周期，是一步到位的，是恶性预算赤字。还有，更重要的是，美国金融市场具有全球最强大的抗震性，它可以通过大量金融创新来缓解市场的"非理性"，比如可以通过信用违约掉期合约或ABX指数迅速抛售手上大量的房地产。

2004年，格林斯潘先生将美国联邦基金利率从1%提高到2006年的5.25%，而美国长期债券收益率和美国抵押贷款利率却没有动。在经济理论上，美国长期债券收益率和美国抵押贷款利率是随着美国短期利率上升而上升的。

事实上，2001 年全球开始出现了第一个"全球影子中央银行"，它们是"日圆套利交易者"。2001~2006 年日本中央银行开始执行全球中央银行历史上第一次量化宽松货币政策。"日圆套利交易者"主要的"胃口"是美元和日圆的利差。2004~2006 年，格林斯潘提高美元利率，扩大了美元和日圆的利差空间，所以"日圆套利交易者"开始疯狂进入美国资本市场，它们的进入必然拉低美国长期债券收益率和美国抵押贷款利率价格。同样，2007 年 9 月伯南克开始降低美国短期利率时，美国市场反而出现了美国长期债券收益率和美国抵押贷款利率迅速上升的现象。从经济理论上看，美国长期债券收益率和美国抵押贷款利率，是随着美国短期利率下降而下降的，因为伯南克迅速压缩了美元和日圆的利差空间，造成"日圆套利交易者"迅速逃离美国资本市场。这样，美国的大量金融结构反而在伯南克全力降低美国联邦基金利率中"破产"。中国银行业现在面对的全球影子中央银行是"美元套利交易者"，"美元套利交易者"的生存空间只有一个要求——美元贬值，并且它们现在大量聚集在中国和新兴市场。这批"美元套利交易者"是在美国 2009 年 3 月开始的量化宽松货币政策中产生的。在金融世界里，美国长期债券收益率低，美元会贬值；如果美国长期债券收益率高，美元就会升值。2009 年 3 月到 2011 年 3 月，伯南克投入了高达 2 万亿美元来拉低美国长期债券收益率。所以，我们必须考虑一个未来的问题——美国长期债券收益率恢复到正常水平的力量和时间——力量将非常强烈，时间将非常短。2011 年，美国中央银行会开始停止美国的量化宽松货币政策，届时美国长期利率的迅速上升会造成全球高达 10 万亿~15 万亿美元的"美元套利交易者"集体逃离中国市场和新兴市场，回归它们的老家——美国。

2006 年，美国雷曼兄弟公司的经营业绩——收入增长 20%，创纪录地达到 176 亿美元；净利润在 2005 年创纪录增长的基础上再增长 23%，达到 40 亿美元；2006 年美国雷曼兄弟公司股票价格上涨 17%，达到每股 73.67 美元，同时股东回报率创纪录地达到 1 694%。然而，2008 年美国雷曼兄弟公司却破产了。

世界的逻辑是什么？

我们必须正视和尊重基础的经济原理——在人类经济活动发展中自然而然形成一个整体叫市场，市场自然商品价格和市场工资价格之间有一定的规律。菜价格、汽车价格、理发价格、土地价格、政府债务、企业债务、融资成本等一切商品价格，可以完全合并成市场自然商品价格。而工资收入、债券收入、股票分红、房产收入、租金收入等一切收入，也可以合并成市场工资价格。正确的市场中商品价格有一个自然合理的价格，而市场商品价格必定会与市场工资价格达成一致，这样产业、就业与物价就会都处于自然就业、自然产出与自然物价状态，市场各方力量形成的合力会自然调整各方力量，使之各就各位，各司其职。

当市场自然商品价格出现非正常高估的市场工资价格时，市场会出现通货紧缩；当市场自然商品价格出现非正常低估的市场工资价格时，市场会出现通货膨胀。所以当出现通货膨胀时，中央银行会提高利率，让大量的工厂停业，而大量工厂停业必然产生大量失业。这样高估的市场工资价格就会迅速下降，而非正常低估的市场商品价格就会从逐步上升转变成逐步下降。最终市场形成自然商品价格与市场工资价格充分均衡后，通货膨胀就逐步消退了。

但是在通货紧缩中，市场商品价格相对市场工资价格被严重高估了，而中央银行注入货币，政府大量财政支出，只会以一种债务的形式短期推高或稳定市场商品价格，所以货币政策与财政政策会建立大量负债而让市场商品价格被迫稳定或推高，此时市场工资价格最好的现象是出现降幅趋缓。这就形成中央银行与政府支出大量以债务形式人为阻拦了市场商品价格与市场工资价格快速靠拢，也就会随着时间的消耗，使债务型崩盘再次发生。这就是日本为什么从 1990 年以后不停地注入货币，不停地扩大政府支出，而最终并没有出现货币主义预言的扩大资本与财政后市场会出现通货膨胀的原因。总之，在汇率稳定的情况下，大量货币供应与大量财政支出如果是以债务形式稳定商品价格，未来必然陷入长期恶性通货紧缩，而非货币主义预言的通货膨胀。日本人的耐心真好，执行了 20 年的货币主义与凯恩斯主义，就是不明白自己上了货币主义与凯恩斯主义的当。

我们不难发现，从 2008 年 10 月开始，中国为了对抗美国次债危机，奋力踏上了史无前例的扩张性货币政策和史无前例的扩张性财政政策之路。但是 2011 年年初中国的菜、汽车、土地、政府债务、企业债务、融资成本、理发费用等一切商品价格，也就是 2011 年年初的中国市场自然商品价格，被中国中央银行人为强行推高。而工资收入、债券收入、股票分红、房产收入、租金收入等一切收入合并成的中国市场工资价格，却随着 2010 年下半年加速上升的通货膨胀和中国中央银行的加速货币紧缩政策，开始出现结构性下降趋势。中国市场工资价格结构性的下降，也就是中国地区总需求的下降，最终，人为推高的中国市场自然商品价格就会下降，这就是大萧条的开始。理解了这个经济逻辑理论，我们就可以评估即将到来的大萧条的杀伤力。

或许，有人会问，为什么 2011 年年初中国中央银行不是在防范大萧条的到来，而是在防范通货膨胀？从理论上我们需要了解，中央银行是一个错误的体系。最简单的证明是 2008 年 10 月的世界性大萧条中，为什么美联储、欧洲中央银行、中国中央银行等这么多中央银行，没有一个能够预测到世界经济危机要爆发了，它们反而是在加速恶化 2008 年时世界经济的情况？

我们最好先理解 2008 年 10 月世界性大萧条为什么会爆发的真正原因。2007 年 9 月，伯南克先生率领的美联储开始大幅降息，来挽救美国部分地区的次贷危机。在这次降息前，笔者认为美联储是决不会降息的。所以在伯南克降息后，笔者写了一篇文章，指出伯南克降息的这一举措，会让世界陷入一场大灾难。在这篇文章发表后不久，退休的格林斯潘先生打破规则，也猛烈批评了伯南克 2007 年 9 月的降息政策是极不负责任的，但伯南克这位货币主义猛将却继续上演着降息大戏。大家必须明白市场是错综复杂的，并不是美联储大幅降息，货币就会被有效地注入市场，有可能在伯南克大幅注入货币的过程中，会引发市场本来存在的货币被迫从市场的缺口处逃离的情况。这样就可能出现注入货币的流量远不及逃离货币的流量，市场就会出现短暂性货币数量实际在大幅减少的现象。如果逃离的货币数量远大于注入货币数量的失血性现象持续，那经济体系就会毫无疑问地出现系统性崩盘。2008 年 2 月笔者在《股灾先生——伯南克与短暂的大萧条》一文中指出，"伯南克先生将是今后全球的股灾先生，他正在把世界经济带进 20 世纪 30 年代的大萧条"，结果在 2008 年 9 月世界性大萧条爆发。

现在，大众化的观点认为，这一切都是美国可怕的 1.3 万亿美元房地产次级债与其背后的几十万亿美元的衍生品市场惹的祸。一张衍生品合约的产生建立在一个做空者与一个做多者价值对立中的财富转移过程中。衍生品是没有逻辑错误程序的。一个没有错误的滥用程序就足以摧毁整个世界经济体系吗？那为什么 2000 年后，美国网络技术股票市场的崩盘与随后产生的 10 万亿美元财富损失并没有引发当时的世界性同步崩盘呢？而 1990 年后日本股市与房市 15 万亿美元的消失为什么也没有引发那时的世界性同步衰退？所以，真正的问题是世界主要央行在 2007 年 9 月~2008 年 8 月，同时段、同性质地犯了让世界全部交易者与制造商面对一致性账面损失与流动性紧张后产生的集体被迫抛售性大萧条。

伯南克先生在上任美联储主席后，笔者非常怀疑美国经济会出现重大问题，因为伯南克先生的整个思想体系深深迷恋美国货币主义创造者弗里德曼先生的学说。而弗里德曼先生最重要的理论来源是其对 1929~1938 年美联储货币政策的评估，以及对当时货币现象的结果评估。1929~1938年美国货币体系的货币紧缩现象，是中央银行导致的，是股票市场导致的，是债券市场导致的，还是资本外逃导致的？弗里德曼只是从一种货币表象上解释了中央银行的问题。市场的结构是非常复杂的，大量的研究人员往往喜欢把问题简单化，以货币表象来对应表象事物，也就是货币主义只是弗里德曼先生先立题后推理的学说。我们姑且不去谈论弗里德曼先生对1929~1938年的推理是否正确，今天是信息全球化、资本全球化、衍生品全球化的时代，这都是1929~1938年不可想象的要素。经过了80年的全球化变革，伯南克先生对货币主义的痴迷程度以及其全球重要决策权的角色，必然会让世界饱受货币主义临床试验的创伤。

在今天信息全球化、资本全球化、衍生产品全球化中，时刻存在着一个资本央行，更确切地应该叫"套利者央行"。2001~2006年，日本央行采纳了货币主义学者克鲁格曼先生的建议，推出了定量宽松货币政策。这种政策立刻制造出一群当时世界上最繁忙的日圆利差套利交易者，这些交易者的模式是大量从日本地区借入廉价日圆，迅速转换成高息货币美元、欧元、英镑、卢布等，再投资高息货币地区房产、债券、股票与衍生品。也就是2001~2006年日本央行注入日本经济体的日圆货币，1秒钟后出现在美国次级债对冲基金中，或波兰一位普通家庭购房者手中，这种资本的流动现象是1929~1938年不可想象的。2001年以后，随着小布什进行的美国历史上最大规模的减税与对伊拉克和阿富汗作战军费的上升，美国经常账户赤字急剧扩展，以此产生的中国贸易盈余转化的高储蓄被中国央行大量投放进美国债券市场，美国长期利率被强行拉低。全球长期利率的走低以及大量日圆套利者的进场，推动高息货币地区（如澳大利亚、新西兰、挪威、英国、西班牙、俄罗斯与美国地区）的房地产市场盛宴开场。2004年6月，美国中央银行进入了小幅加息周期，美元与日圆的利差开始放大，美国的次级债迅速成为日圆利差交易者的抢手货，请注意，在货币主义的解释中，中央银行加息，市场货币应该紧缩，但市场存在"套利者央行"，所以2004年6月美国中央银行加息，反而使美国本土货币供应大量上升，难得地出现了美国中央银行加息，长期利率反而走低的现象。事后，伯南克先生解释是中国储蓄过剩造成的，而正是伯南克这种严重的错误解释，为其货币政策造成2008年世界性大萧条埋下了致命的种子。美国次级抵押贷款占全部抵押贷款市场的份额从2001年的5%，迅速上升至2006年的20%，高达6 000亿美元的次级债在2006年被销售一空。这非常清楚地显示出，日本央行、中国央行与美联储——全球这三大主要央行是美国次级债的共同创造者。这样，美国次级债就有了一个非常重要或致命的生存条件——日本央行、中国央行与美联储不能以本国经济为货币政策方向，而应建立世界统一的货币政策方向。

日圆利差交易者投机美国次级债市场，其收益大致来自三个层面。第一层面——固定收益层面，也就是美元与日圆之间利差的稳定无风险收益，这层属于金字塔底层。第二层面——低收益层面，也就是优质AAA债券收益，这层属于金字塔中层。第三层面——高收益层面，也就是高风险债券或可能的违约率债券收益，这层属于金字塔顶层。这种金字塔式的投机模式，有一定的抗市场风险压力能力。但这种模式的问题是，如果风险从顶层开始扩散，这种模式的风险压力是存在的。这种模式的致命问题是，如果风险从底层扩散，那这种投机模式将是致命的。而2006年的问题就从底层发生了。2006年7月，日本央行结束了零利率政策，将短期利率调高至0.25%。2007年2月，日本央行再次将短期利率调高至0.5%。2006年日本央行为什么要结束定量宽松货币政策？结束定量宽松货币政策会对当时美国与欧洲地区房地产市场产生什么影响？这个问题日本央行与伯南克先生到今天仍然不解。

日本央行从底层冲击日圆利差套利美国次级债组合的效果立即产生了。2006年下半年，美国房市出现回落，到2007年上半年这种回落的态势还是相当平稳的。但 2007 年年初美国的次级债公司已经出现了倒闭的现象，如果从房价回落来解释这些小批量次级债公司的倒闭，应该是不成立的，因为 2007 年上半年，美国楼市行情还出现过不错的表现，以做空美国次级债而闻名的约翰·保尔森的基金那个时候是亏损的。而事实上，这些美国次级债公司在 2007 年初倒闭的主要原因是日本央行从底部冲击了日圆利差套利美国次级债模式，部分日圆利差套利者离场，严重损害了部分抗风险能力较差的美国次级债公司，由此引发了部分次级债公司倒闭，这也说明了从底层冲击的杀伤力是致命的、有效的好在日本央行的行动有限。在 2007 年上半年展期的高收益债券的收益率表明，投资者估计的违约率只有 1%，说明投资者对市场的长期预期是非常有信心的。花旗、美林 2007 年二季度的财报可以用"漂亮"两字评价。2007 年 9 月真正的危险来了，伯南克开始全力减息了。摆在伯南克面前的问题是，为什么美联储 2007 年 9 月大力减息，而美国大型银行出售的资产支持型商业票据利率反而急速上升近 20%？为什么二级市场价格说明，2007 年 10 月、11 月美国次级债市场将崩盘？单纯从次级债交易杠杆比率风险来说，2007 年 9 月、10 月伯南克大幅向市场注入货币，会让次级债交易商们迅速获得新的资金，至少不会让次级债价格在 10 月、11 月出现崩盘。而事实上，在伯南克 9 月、10 月大量向市场注入货币时，反而引发美国市场的货币大量逃离，而大量逃离的货币量在短时间内远远大于伯南克的注入量。伯南克 2007 年 9 月以后的货币政策，"有效"地消灭了美国市场次级债的众多交易商。2008 年年初，花旗、美林公布的 2007 年第四季度财报均出现 100 亿美元亏损，而这种有史以来的最大亏损都产生在伯南克先生 10 月、11 月的降息浪潮中。2008 年，伯南克让美国联邦基金利率加速向零这一目标冲刺。在伯南克的冲刺中，日圆利差交易交易者疯狂从美国、英国、爱尔兰、澳大利亚、俄罗斯、冰岛、东欧、西欧、巴西、韩国、中国等地区逃离。最保守估算，2001~2006 年日圆利差交易者从日本地区拆借的资金规模为 5 000 亿美元，以最保守杠杆计算，这笔资金全球市场的规模为 5 万亿~10 万亿美元。伯南克虽然领导着全球最大中央银行美联储，但就是当时全世界的中央银行迅速反应，集体向全球市场全力注入货币，也不可能抵抗日圆利差交易者疯狂逃离全球市场而产生的 5 万亿~10 万亿美元的杀伤力。

中央银行的重要责任是什么？美联储的重要责任是什么？那就是防止全体市场参与者出现同步方向性一致行为。2007 年下半年到 2008 年上半年，石油输出国保持的多余产能在 200 万~300 万桶。2007 年 9 月伯南克的降息行动，迫使大量投机资本为了对冲通货膨胀风险纷纷涌进石油市场，全球石油价格从 2007 年 9 月每桶 90 美元急速上升至 2008 年 7 月每桶 140 美元。石油价格急速上升，使本已陷入通货膨胀的中国央行与欧洲央行都备感困难。2007 年 9 月份，中国央行与欧洲央行被动采取了更进一步的紧缩货币政策，2007 年下半年到 2008 年年中，中国央行严厉的货币紧缩政策，让中国股市从 2007 年 10 月的 6 000 点高位，迅速下降至 2008 年 8 月 2 000 点以下。中国股市崩盘早于美国次级债危机爆发的 2008 年 9 月。可见 2007 年 9 月伯南克先生的降息举动，反而把欧洲央行与中国央行推到了自己的对立面，使全球经济政策首次出现至 1930 年大萧条以来，一个主要工业化国家陷入衰退时，其他主要工业化国家货币政策会提早进入高紧缩货币的状态。所以说，2008 年发生的是百年一遇的危机，因为这是全球货币主义者们第一次有机会进行一场理论实践验证。

伯南克先生首次让美国经济陷入衰退时，欧洲央行与中国央行进一步紧缩欧洲地区与中国地区的消费需求来压制全球经济，首次让世界无处不在的"套利者中央银行"在 2008 年解体。2008 年是货币主义理论接受实践验证的一年。现在从全球债券交易者或套利交易者的思维体系出发，如何看待今天的中国经济？

2009 年到 2011 年的今天，全球流动性的 80%是由美元套利交易者提供的。

美元套利交易者从美国市场拆借货币，然后投机新兴市场（包括欧洲市场）。2008 年到 2011 年的今天，美联储、欧洲中央银行、中国中央银行共同让世界完成 20 万亿美元负债去推动全球化下的经济运行。现在，我们已经知道市场自然商品价格和市场工资价格的定律，因此，2008~2011 年世界 20 万亿美元负债的产生，最终会对世界市场自然商品的价格形成强大的向下的结构性压力。不幸的是，2011 年年初，世界市场工资的价格开始出现结构性下降趋势。目前，主要影响世界市场工资价格的是中国和美国，欧洲和日本属于次要地区。2008 年 10 月到 2010 年年底，美国地区市场工资价格出现极速下降，而这期间中国地区市场工资价格出现极速上升，弥补了美国地区市场工资价格极速下降对世界经济的影响。所以，现在世界经济的唯一问题就是——中国市场工资价格出现的极速上升是因为中国地区劳动生产率大幅提高，还是中国地区私人部门获取了更多的市场份额？非常糟糕也令人非常困惑的是，2008 年 10 月~2010 年年底中国地区劳动生产率进一步恶化，并且中国地区私人部门的市场份额严重下降。2008 年 10 月~2010 年年底确实是中国国企迅速扩大市场份额的"丰收季节"。然而大家不难发现，同期中国地区市场工资价格极速上升的因素——2009~2010 年，中国房地产市场增值 50%，这意味着中国市场工资价格迅速增加了近 30 万亿人民币。所以，2011 年世界经济的问题本质非常简单：美国或中国的市场工资价格必须出现极速上升，中国房地产市场价格不能出现下跌。否则，在今天美元套利交易者提供流动性的全球经济中，将有第三次世界性大萧条爆发。

我们再回到市场自然商品价格和市场工资价格的定律上，这个定律在今天中国市场是没有的，但是 2010 年年底美国跨国公司和美国金融部门全部都 100%参照这个定律在操作。这样，我们见到了一个有趣的常识现象，2009~2010 年，美国跨国公司和美国金融部门手上新增加了高达 3 万亿美元现金，而中国企业和中国金融部门手上新增加了高达 30 万亿人民币的负债。所以，用市场自然商品价格和市场工资价格的定律分析就能明白，为什么2010年美国股市取得了全球资本市场最亮丽的表现，而2010年中国股市却是全球资本市场中很糟糕的市场。资本市场的定价包括美国世界的良好现金储备以及低通胀速度，这预示了美国经济在2011年进入战略性主动进攻态势；同时，中国市场的高杠杆负债以及加速通胀，将迫使中国经济在2011年进入战略性被动防守态势。

也就是说，美国金融部门在2009~2010年拼命做大中国地区的负债以及欧洲、日本地区的负债和黄金头寸，包括把全球流动性控制在"美元套利交易者"手中。当这一布局完成后，现在从"全球套利交易者"思维体系去看中国经济，与中国经济学家思维体系中的中国经济是完全不同的。"美元套利交易者"如果大规模退出全球市场，那中国市场、欧洲市场和日本市场将出现拆借成本极速上升的情况，这样，2009~2010年中国市场、欧洲市场和日本市场高负债的企业和个人就将全部破产，同时，退出全球市场的美元套利交易者将大规模抛售新兴市场资产，大规模以美元货币进行结算。所以，这个过程中最可怕的是，中国市场、欧洲市场和日本市场出现拆借成本极速上升时，美国市场拆借成本却极速下降。届时，美国跨国公司和美国金融部门的3万亿美元，将以非常便宜的价格收购中国、欧洲和日本大量破产的"曾经非常好的企业"。

第三次世界性大萧条离我们有多近，用世界的逻辑或者是美元套利交易者的思维体系来看是非常清楚的，中国企业和中国负债购买中国房产的人进入2011年将面对严酷的危机。

进攻、进攻再进攻是军事战争的最高宗旨。回顾一下亚历山大4万人的马其顿军队消灭波斯帝国100万大军的经典战役。亚历山大是世界上第一个利用大量优势兵力，在一个点上打开敌人的缺口，然后造成敌人战线迅速崩盘的伟大统帅。今天中国市场的缺口在什么地方？就是中国人大量高位购买黄金。用黄金打开中国市场的缺口是很容易的事，大量高位购买黄金的中国人会迅速破产，这些因黄金破产的中国人会抛售手中的房产和股票，进行债务结算。同时，美元套利交易者极速推高中国、欧洲以及日本地区的资金成本，接着我们就会像波斯帝国的 100 万大军那样遭受重创。

在世界的逻辑面前，让我们警醒吧！

世界性大萧条爆发的时间

首先，我们关注一下中国猪肉的情况。2011 年一季度中国猪肉价格开始出现加速上涨，而价格上涨的原因非常简单，就是中国养猪业已经进入小型工业化产业时期，而大量中国本土小型养猪户（规模在 30 头以下）因 2006~2010 年"潮起潮落"的中国猪肉价格而不复存在了。那么，在目前中国养猪业小型工业化的建设中，中国猪肉价格迅速上升会让全球经济演变出第三次大萧条吗？

2008 年 10 月的世界性大萧条是简单的美国次级债危机吗？美国次级债规模为 1.3 万亿美元，中国中央银行购买了 4 000 亿美元，其他国家购买了 3 000 亿美元，只有 6 000 亿美元在美国金融部门手上，而 6 000 亿美元才占到美国经济规模的 4%。而 4% 的消耗（真正的消耗连 1% 都不到），就可以让一个全球结构性最好的经济体陷入有史以来第二次大困境吗？2008 年 4 月，正因为中国猪肉价格创出历史新高，从表象上导致中国通货膨胀上升，结果中国中央银行采取紧缩货币政策，推动了 2008 年 10 月全球性大萧条。回顾 1930 年世界性大萧条的爆发，正因为 1928~1930 年全球大规模货币性黄金流入法国地区，法国中央银行人为紧缩法国货币政策，这是在当时造成 1930 年世界性大萧条的重要原因。2003~2008 年，中国地区吸纳了全球大部分贸易盈余，而 2007 年下半年全球最富于贸易盈余的国家却疯狂地紧缩货币政策，而不是大规模扩大中国地区居民消费，使中国低价产品继续冲击全球市场，人为造成中国地区居民大规模紧缩开支以及中国股市的大崩盘。2008年4月，中国中央银行的货币目标只是控制中国猪肉价格暴涨，而中国地区人均消费能力却低得可怕，根本不能构成中国通货膨胀上升的结构性基础。中国居民必须把自己收入的45%用于食品开支，这才是中国通货膨胀的荒唐问题，难道没有人知道中国是全球最大的贸易盈余和外汇储备国家，中国只需大幅再大幅地提高居民工资收入，大规模削减中国政府开支，就可以推动世界经济增长，并避免2008年10月世界性大萧条的爆发，有效管理好中国的通货膨胀吗？

直到今天，全球市场没有真正理解2008年4月中国中央银行错误的货币政策，所以我认为，全球第三次大萧条的爆发将由中国猪肉价格推动产生。

2010年下半年，中国中央银行开始了疯狂反击中国通货膨胀的货币紧缩政策。进入2011年一季度，中国猪价开始出现加速上涨。为什么第三次世界性大萧条爆发的时间会在2011年四季度到2012年一季度呢？

第一，目前中国经济体内货币存量为80万亿人民币，2011年初中国市场的货币交易价格将会进入年收益率上升到15%~25%周期，也就是大家熟悉的高利贷交易周期。如果有20%~30%的货币存量在一年时间里用年收益率15%~25%定价，那中国市场从2011年四季度到2012年一季度就需要用3万亿~6万亿人民币进行债务成本结算。而目前中国经济规模为40万亿人民币，一年最佳增长才创造4万亿人民币财富。

第二，希腊国家财政赤字是GDP的150%，10期债券收益率为15%，中国地区的债务结算必然会即刻推动意大利、西班牙、法国、希腊等国家债券收益率暴涨。

第三，2011年7月美国金融监管《多德-弗兰克法案》的正式实施与2012

年《巴塞尔协议Ⅲ》开始的加热。

第四，2011年8月，美国财政政策将由宽松政策向中性政策转变。

第五，2009~2011年美联储伯南克的量化宽松货币政策，产生了世界流动性由美元套利交易者提供的结构，所以目前全球风险资产是美元套利交易者大量繁殖的结果，这将导致今后世界无法进行合理的债务结算。

第六，2011年开始的美国"婴儿潮"时期的人将开始大规模退休，还有欧洲的结构性高失业率。

毋庸置疑，我们离人为制造的第三次世界性大萧条已经很近了。

复利的经济体——就是爱因斯坦说的利用利息、利润再投资的复合式增长，是无穷尽的发展状态。必须跟上每个经济体的上升阶段，回避经济体衰败阶段。

金鱼政策——来自普希金的《渔夫和金鱼的故事》，指没有任何技术含量为原动力支持，单凭无限的贪欲，在微小的根基基础上，超规模扩张的致富发展模式。制定的政策在无尽地扩张中迷失，导致越来越自大、越来越脱离现实，首尾不相应，自己实际没有掌握自己命运能力的一种天方夜谭。

金鱼富贵——来自普希金的《渔夫和金鱼的故事》，占有公共自然资源迅速致富，暂时拿到不属于自己体力和脑力付出得来的富贵，旋即又消失的一种现象。

调控把柄——自己制造错误和失误，导致被迫把权力交给别人，使自己被动，可供别人自由采取的手段称为调控把柄。

伪通胀——政策错误，导致人为推升的通货膨胀，和在通货膨胀预期下，人为火上浇油地出台适得其反的政策，导致的物价上涨。

气球经济——经济可以是有极限量的气球，也可以是无极限量的膨胀的宇宙，这取决于经济政策是否制造通货膨胀。当经济政策在制造一个不断充气的气球，而气球没有达到极限膨胀量时，无论你怎样挤压、扭曲，这个气球都会做相应的变形，并且还是一个完整的气球；当气球膨胀到极限时，也就是通货膨胀失控时，就会粉碎。

宇宙膨胀复利经济——如果经济政策在制造一个不断膨胀的宇宙，就是对恶性通货膨胀的防范和管理到位的最佳境界。这种状态下的经济可以像宇宙膨胀一样，没什么大起大落地、匀速不断地慢慢膨胀，这个经济体就可以在不急不躁中永远壮大。经济发展不怕慢，就怕爆。爱因斯坦说的复利的累加是无穷尽的第八大奇迹。